D1482390

Une histoire sans nom
en pièces détachées toutes ineffables
et autobiographiques
de Bruno Samson
est le cinquième ouvrage
publié dans la collection l'amélanchier
des Éditions de l'Aurore

UNE HISTOIRE SANS NOM
EN PIÈCES DÉTACHÉES
TOUTES INEFFABLES
ET AUTOBIOGRAPHIQUES

bruno samson

une histoire
sans nom

en pièces détachées
toutes ineffables

et autobiographiques

L'AURORE

Les Éditions de l'Aurore
221 ouest, rue Saint-Paul
Montréal

Directeurs : Victor-Lévy Beaulieu, Léandre Bergeron ; administration : Guy Saint-Jean ; production : Gilles LaMontagne, Roger
Des Roches ; calibrage et mise en pages : Roger Des Roches ;
maquette de la couverture : Mario Leclerc ; illustration de la
couverture : Richard Larose ; composition typographique : Michel
Dufresne, Guy Blais ; correction : Rita Lafontaine ; montage :
Jules Bergeron ; presse : Jean-Paul Clément.

DISTRIBUTION
La Maison de Diffusion-Québec
221 ouest, rue Saint-Paul
Montréal
Tél. : 845-2535

« Il n'y a pas de petite histoire, car la petite histoire est celle des petits hommes et des petits épisodes, mais les petits hommes ne sont point étrangers, hélas! aux grands événements, et les petits épisodes sont marqués des mêmes passions que les grands ... »

Ernest Fornairon
L'Affaire Lafarge

Quoique cette histoire, si c'en est une, soit sans nom, n'en méritant sans doute pas, et qu'elle soit toute en pièces détachées, lesquelles sont toutes ineffables, je vous le dis, et toutes autobiographiques aussi, soit basée sur plusieurs faits réels, c'est quand même une oeuvre d'imagination... bien sûr que des personnages véritables ont prêté à mon histoire des noms et quelques gestes, mais ils sont quand même devenus mes créatures imaginaires dans mon cheminement intérieur... c'est comme ça que je les aime!...

B. S.

Une histoire sans nom, voilà !... c'est que le numéro un, c'est la une donc !... y aura la deux sûrement, la trois, la quatre, plus tard, plus tard... ou bien il y aura plus rien jamais si vous faites la grosse gueule dégoûtante, vite le miroir ! regardez-vous la gueule !... je vous parlerai plus jamais si vous savez pas écouter comme il faut, j'irai pas perdre mon temps avec des gens distraits qui s'intéressent à rien, pas même à la belle histoire qu'est la mienne, la une d'abord, les autres toutes de même seront miennes, c'est vrai qu'elles sont pas nommables autrement que par des numéros... je vais les mettre les unes et les autres à la suite, à la queue leu leu elles passeront sous vos yeux... je les tiendrai à la chaîne, par le bout, menottées, je les promènerai, histoire de perdre mon temps... c'est pas sérieux, mon affaire quand on sait que je cesse pas de répéter que j'en ai pas une seule parcelle à perdre... sitôt qu'ils peuvent c'est plein de gens qui vous font perdre des heures, des mois !... prêtez pas l'oreille alors, c'est comme fronton qu'ils vous veulent pour faire rebondir comme balles leurs niaiseries, bla et bla, et reblabla !... ça veut pas finir, vous en aurez pour des jours à vous remettre... moi je ferai pas ça, c'est pas long, mon histoire, c'est pas là-haut que je vous mènerai pour le voyage, pas aux nuages, je crains les sillages de mousse les uns dans les autres se croisant, j'ai pas été dans l'aviation mais on m'a raconté, amusants d'abord les sillages très longs, puis brusque coupés, il y en a plus !... devenus abstraits tous, au mieux

11

en poudre... on peut plus leur donner de nom... pourquoi qu'elle aurait pas de nom, mon histoire?... j'ai fait des efforts louables pour lui en trouver un, c'est la faute aux lecteurs sophistiqués qui veulent des titres mirobolants, moi je veux qu'ils soient justes, pas rien que ronflants, attrayants, je les veux adéquats... qu'ils en trouvent les fins fins, j'en trouve pas, je cherche plus, mes amis disent que c'est bien ainsi, ils sont plein d'égards pour moi, je m'en étonne, c'est gênant comme des taches gênantes tous les amis soudain... quand je me suis mis à l'écrire ils ont trop rien dit, au contraire ils ont eu pour moi toutes les attentions délicates qu'on a pour les malades déjà condamnés... ils admettent que j'écris pas trop mal, si c'était vrai, ça serait là l'embêtant, un livre bien écrit et mal pensant!... je protestais fortement, codingues eux tous!... je les accusais d'hypocrisie et voilà qu'ils devenaient méchants, je protestais davantage, j'aurais pas dû, c'est pas toujours indiqué de le faire véhémentement, ils faisaient que sourire, il y avait quelque chose de pourri dans leur sourire, je les aurais étranglés, maudits vieux malsains tous!... je proteste, je proteste... un jour dans une grande ville des gens protestèrent, ils se précipitèrent dans les rues par un froid rigoureux pour manifester quelque chose comme le désir de pureté, de vérité, leur révolte contre la société... ceux qui moururent pas en prison moururent de pneumonie, ils étaient tous nus!... je resterai vêtu, mes supposés amis faisaient tous les efforts pour me parler doucement quand même, mais je voyais qu'ils pourraient pas le faire longtemps, ils devaient serrer les dents, leurs mâchoires saillaient sous la peau, vous occupez pas!... tous les amis qui serraient les dents à se les écraser c'est des supposés, c'est des suppôts de satan, ça changera rien, ils m'imposeront pas le silence, jamais ils pourront!... j'écris, je parle aussi, en Christ des fois, et puis qu'avez-vous à dire?... si c'était vrai que la parole précède parfois la pensée c'est ma langue qui m'apprendra des choses nouvelles!... Herman Melville affirme que c'est possible, c'est bien possible à mon avis, si je parlais pas mes mots resteraient bloqués dans mon gorgoton comme les billes de bois aux rivières, accrochées à quelque rocher, ça prend la dynamite pour les remettre au courant...

12

ça vous fait sourire, ma comparaison, je comprends, mais faudrait pas qu'il soit pourri votre sourire, la pourriture ça manque pas !... moi aussi je souris, je dois me forcer pour le faire... quand même j'ai conscience que je devrai me faire clown pour faire rire par toutes les astuces de langage et les changements de voix... ça sera pas facile de les faire rire si j'ai à faire qu'à des petits vieux à visières vertes sur le front à cause de leurs petits yeux rouges toujours pleureurs !... soyez pas ça ! par tous les dieux, s'il en reste, soyez pas !... je vous adjure de pas être !... mon Doux ils persistent, alors ils seront de plus en plus laids !... les jeunes approuvent, ils rient de tous les muscles de leur face, j'ouvre grand la bouche pour rire, je rote en même temps que je ris, les jeunes sont un peu effrayants aussi tout engagés déjà sur le chemin de la vieillesse, ils croient pas l'être, ils le sont pourtant, je pourrais du doigt pointer ceux qu'elle accablera en premier prématurément, ça se lit dans les rides précoces du visage, celui-là qui boquillonne déjà dur tout désigné, inguérissables certaines claudications !... c'est écrit, il y a qu'à lire, il y a pas de remède, lisez la une d'abord, ma palpitante histoire !... je l'affirme, je l'estime telle quand même j'y ai pas donné de nom, si vous attendez que je lui en donne un... chacun sa manière de voir les choses, lisez, vous verrez comment je les vois, lisez comme il faut, surveillez les émotions fortes, voilà l'ennemi !... je comprends l'idée de certains, si c'est pour m'en prendre aux cardiaques mieux vaudrait pas écrire, je comprends l'idée !... mais je suis sûr que les docteurs David et Grondin me diraient de donner libre cours à mon exubérance et advienne que pourra, j'en ai pas tant d'ailleurs !... quand même je pars, j'ai promis, grands traits de plume partout, qu'on me laisse le chemin libre, huluuu, huluuu !... sirène toute force !... une résonnance à tout casser, que ça tienne, il y aura bien des ratés de moteurs... certains ça les amusera que je file pas jusqu'au bout, voyons, faut un répit pour les cardiaques !... les cardiaques c'est une horde très méchante quand elle veut l'être, excitée, insolente... est pas cardiaque qui veut... qu'on se le dise, les ravissantes cardiaques pas les exciter outre mesure, pas jusqu'à la pâmoison... je m'occuperai pas, j'irai hardi dans mon récit, crève qui pourra qui voudra!... à cause de mon audace, petit enculé qu'ils me traitent, tous s'y mettent pour m'haranguer, je les défie et tout le monde avec, foireux vous êtes que je réponds à tous!... ils reviennent à la charge mais leurs mots sont pas si durs qu'ils pensent, c'est des ventres mous, les intestins grêles en vrac, une énorme matière à déféquer! pas surprenant que leur coeur tourne pas rond, ni le mien qui vient se cogner à mes aspérités, il est pas bon le moteur, ô les moteurs tournez rond!... si c'était des écrivains je craindrais, mais je sais qu'ils peuvent pas aller plus bas que le fond, il y aura la mort définitive, la chute dans l'inarticulé, l'heureuse délivrance dans le flou et le faux, pourquoi qu'ils se tailladaient pas les poignets pour mieux mourir au bout de leur sang?... ceux qu'en réchapperont je devrai leur montrer de quel bois je suis, toutes morves aux nez qu'ils se mouchent avant de retenter de me faire la leçon, qu'ils lisent bien les lignes que j'écris et entre aussi!... ça serait le comble s'ils venaient me reprocher de mettre sur le dos de mes personnages tout ce qu'il y a d'inavouable en moi, de fragile et d'obscène, tout le monde fait ça!... malgré tout je garantis mon ouvrage, l'habitant garantit son veau et son poulain, c'est vrai qu'ils sont pas sortis de lui, il pourra toujours mettre leur défaut sur le compte de la vache ou de la jument... je m'adresse à la bonne foi de ceux qui lisent des livres pour le plaisir, on tient leur manie pour inoffensive, un peu sotte... ils se justifient en disant que c'est pour se rendre compte comment les écrivains peuvent dérailler des fois, ou comment ils peignent le monde, Corneille peignait les hommes tels qu'ils devaient être, Racine tels qu'ils sont... aujourd'hui on peint tout de travers, je ferai de même si le coeur m'en dit, si je parle des porcs qui m'empêchera de dire qu'ils se sentent bien installés au chaud dans leurs défécations?... c'est pas ma faute si les gorets tirent maladroitement sur des tétines sales!... vous trouverez de tout dans mon histoire, héros vous trouverez, les artistes s'y retrouveront, tous tous vous trouverez des choses vous convenant en lisant bien, on vous demande que ça, lire, lire, bien lire, on vous demande pas de faire dérailler les trains, la foule que j'inciterais à faire de tels excès serait à craindre, décidée elle pourrait se retourner contre moi, prête à me foutre

14

en miettes, ça serait excitant, elle trouverait plaisir sans pareil, je vous le concède, je veux bien qu'on rigole mais pas à ce point, s'ils veulent rigoler en me lisant qu'ils y aillent !... une histoire sans nom ça peut être rigolo quand même... lors que ça serait que les ombres grotesques que feront mes personnages sur les murs, il y aura au moins ceux qui vont tomber à l'eau ! on entendra peut-être les râlements de personnes à l'agonie... certains souffriront qui sont incapables de souffrir autrement que dans les cris des autres... ceux qui se mettront en colère contre moi j'aimerai mieux ça, toute équivoque cessant, l'ambiguïté s'évanouissant, laissant toute la place à un monde d'iniquité chargé de mal... c'est dans le monde que l'iniquité s'est établie, toute sa vie durant on se répète ça les uns aux autres dans une monotonie aliénante qui empêche toute autre parole... je voudrais que ça cesse, je voudrais faire rire le monde, je promets qu'ils riront, puis je promets rien, s'ils rient pas ça sera le signe qu'ils avaient pas le coeur à rire... qu'ils pleurent alors !... quand je raconte ma vie je ris pas souvent, je prends trop à coeur, j'irai de çi de là fou braque jusqu'à me faire du mal beaucoup, trop de coeur à l'ouvrage, je m'épuise !... les événements je tâche de les enjoliver, vous verrez, je peux pas toujours cependant, les événements vous avez constaté comme c'est déconcertant ?... des fois j'y peux rien de rien, c'est un peu comme l'amour, ils sont d'abord ce qu'il y a de plus grave, palpitants et tout haletants, à la fin bien vus et revus c'est presque plus rien ou bien on trouve qu'ils sont grotesques, c'est toute la trame de nos vies par en dessous qu'est pareillement grotesque... c'est comme ça, un jour vient où rien nous fera plus rien, au point qu'on détruirait la moitié du monde en bouillie de ruines et qu'on serait à peine horrifiés, nicotinés qu'on est, alcooliques et drogués on prend plus rien au sérieux, tout le minable monde disparaîtrait qu'on trouverait tout naturel qu'il existe pas !... un tel qu'est nombril et les Anglais seraient pas minables, pourquoi ils existent ceux-là, les minables ?... vous pouvez pas dire, personne peut, jamais ne vint ni de moi ni des autres la réponse sensée, les prédicateurs de retraites qu'étaient un temps légions se disaient sûrs d'avoir trouvé, ils prétendaient avoir le monopole de la vérité et ils

étaient à ce point ravis fous qu'ils portaient pas à terre ... ils
peuvent plus dire pourquoi le monde existe, pourquoi on existe ?
bien fol est qui tente de le dire !... pourquoi je vous raconte
mon histoire, vous pouvez pas deviner, non ?... moi je peux
pas ... je raconte tout en désordre, c'est toujours comme ça
maintenant, c'est comme ma vie, la fin avant le commencement,
faut savoir qu'elles sont passées, les choses que je raconte, ma
mémoire fait ce qu'elle peut, elle souffre pas de reproche elle
extirpe pas au goût de tout le monde les souvenirs épars, c'est
par bribes, et je les classe pas ... ça me regarde, non ?... pas
besoin de me dire que je fais les choses drôlement maintenant,
je parle drôlement pas croyable !... depuis mon enfance j'ai eu
des chocs émotifs, effarant est le chiffre !... j'ose pas en faire
la somme, c'est tous leurs excès qui ont changé ma manière de
faire et de dire les choses, m'aurait fallu au cours de ma vie
de longues cures de convalescence et tous soins médicaux ap-
propriés, j'ai rien eu de tout ça, c'était toujours marche ti-gars,
points au côté, pieds et mains blessés, travaille comme bête,
j'arrêtais juste le temps de me presser et frotter violemment les
yeux jusqu'à voir des taches fulgurantes, je les rouvrais espé-
rant mieux voir, attention ti-gars, attention d'tomber quand
j'sus pas là !... trime dur et rue pas dans les baculs, c'est pas
les baculs qu'auront mal, tu verras !... vous verrez aussi quand
j'aurai tout raconté, je commence dès là, vous me voyez pas
là en compagnie de mon frère Louis ?... mon arrière-grand-père
du côté maternel s'appelait Ti-Louis, mon grand-père s'appelait
Valère Ti-Louis, mon oncle du premier rang s'appelait Vila
Valère Ti-Louis, à lui tout seul il but comme les trois auraient
pas pu tous ensemble jusqu'à ce que mort s'en suive ... mais
là voyez-moi bien portant en compagnie de mon frère Louis,
nous étions en train de traverser les terres qui vont aboutir à
la Grand-Montagne, l'autre aboutissement c'était au deuxième
rang de Saint-Barnabé, plus haut le même rang s'appelle le
Cinq-Saint-Élie, on s'en allait voir la maison paternelle et natale
à part ça, en plus des autres bâtiments qui subsistaient encore,
il en restait pas gros, on achevait de les démolir, la nuit précédente on avait couché dans la cabane de sucrerie ayant appar-
tenu à mon père et à mon grand-père avant lui, quand on

16

entra dans la cabane basse, fallut baisser la tête pour pas se la cogner sur la sablière grosse comme le corps d'un homme corpulent, on eut l'impression qu'en dedans l'air y était aussi consistant que la table là faite de gros madriers au milieu de la pièce et que le poêle de fonte à côté, on devait le mastiquer plutôt que le respirer, après que nous eûmes allumé la lampe s'ajouta le goût de pétrole... elle plut pas aux hiboux la lumière qu'on fit, houhou, houhou! ils se répondaient partout du haut des arbres... on avait quand même couché là, quand même on comprenait pas le langage de l'hibou, houhou tant qu'ils voudront, les damnés hiboux et autres damnés de toutes espèces... quand même ça va-tu finir, hein?... l'engueulade finissait pas, je voulus tirer un coup de fusil au hasard dans le noir, mon frère s'y opposa, je pourrais rien que les blesser, c'est les tuer qu'aurait fallu, même là il était pas d'avis, les Anglais qui furent que blessés dans les guerres qu'ils firent sont allés dans leur île se reproduire, aujourd'hui voyez la horde!... le lendemain matin en sortant de la cabane au grand jour on vit là-haut, plus haut que la cime des arbres le plus bel oiseau jamais vu par nous, rouge comme une province après une élection genre à la Bourassa, on s'bourre à ça tout rouges! rouge l'oiseau avec ventre blanc, pattes corail, il y avait qu'à voir! on les voyait pas bien, une aigrette de la même couleur, on la voyait mieux, le bec jaune entrouvert, en nous apercevant il cessa ses grands coups d'aile, les ailes demi-déployées, sa queue retroussée en éventail, ses pattes raidies en coup de frein il vint se poser sur le toit, hérissé comme une flamme, au lieu de le regarder à satiété comme je voulais le faire, mon frère m'entraîna brutalement plus loin dans le sentier ombreux, il tirait sur ma manche comme pour la déchirer, hé t'es fou!... je dus suivre de mauvais gré, je me révolte quand on me laisse pas faire ce dont j'ai envie si je le fais facilement ma béatitude ressemble fort à de l'hébétude, c'est pas facile avec moi, je suis une espèce d'être à part, faut-il pleurer, faut-il en rire?.. ni pleurer ni rire, vivre!... là encore... vivre c'est pas qu'osciller entre le cafard et la sotte félicité, moi c'est l'oiseau qui m'intéressait, j'aurais voulu le regarder longtemps, pas moyen, mon **frère** était d'avis qu'un oiseau comme ça pouvait être que de mauvais

augure, il pensait ça, moi je croyais pas une miette!... selon
ses dires on avait des preuves, un individu du rang Trois,
qu'avait pas cru, le diable l'attaqua, c'est des poches qu'il eut
à la place des yeux, il eut des babines de babouin en lieu et
place des lèvres, jusqu'à sa mort il fit plus que divaguer, il était
l'épilepsie même, il monologuait sans arrêt dans une incohérence
démentielle, ce qui tombait sur les nerfs du monde c'était de le
voir toujours s'agiter furieusement tout en simagrées et grimaces... au sortir du bois, juste à la lisière parmi les débarras
repoussés là par les tracteurs des habitants il y avait de grandes
fleurs pourpres, parce que je m'extasiais devant tant de beauté,
il me laissa pas m'arrêter pour les regarder plus longtemps,
surtout pas les sentir comme je m'apprêtais à le faire, il y en a
qui empoisonnent, celles-là rouges comme elles étaient elles
devaient empoisonner atroce, plus, il craignait qu'elles éclatent
et coulent en une eau sanglante dans toutes les rigoles des
champs, vous voyez le dégât!... pire qu'en Égypte, je lui
parlai du rocher d'Horeb il prêta pas attention, tu vois, mon
frère, les dégâts, la peste après la corruption, il me fit marcher
vite, d'accord, d'accord!... il voulait même pas que je me
retourne pour regarder une autre fois les fleurs, j'avais beau
lui dire que ça dure pas les fleurs, ça s'effrite sitôt épanouies,
rien à faire, les fleurs dangereuses ça dure trop, ça dure pas
assez disent les femmes qui affirment que c'est pas vrai qu'elles
sont dangereuses, des femmes jolies comme des fleurs ça dure
pas toujours non plus, les autres voudraient que ça dure le beau
visage qu'elles se sont dessiné avec une prodigieuse adresse sur
une face pâlotte... au milieu des terres, coupant un champ
plein de fleurs pâlottes, venant de toutes les sources pures de
la montagne, courait un gai ruisseau dont on entendait déjà les
gazouillis que faisait l'eau sur les cailloux brillants qui formaient son lit, c'est qu'un beau pays comme le nôtre qui peut
avoir de tels gais ruisseaux!... avant de le traverser nous
voulûmes nous abreuver de cette eau limpide, nous nous jetâmes
donc à plat ventre par terre et tels des chevaux nous bûmes
avec nos lèvres, on savait que dans les puits de la ferme abandonnée où nous allions l'eau serait pas bonne à boire, il en est
ainsi de tous les puits peu profonds où l'eau non renouvelée et

stagnante est capable de donner toutes les fièvres possibles aux gens qui la boiraient, si on la remue c'est pire encore, elle devient trouble à cause du fond vaseux ... puits de science, mes amis, c'est pas le fond qui manque et pas vaseux ! ... je parle pas en mal de vous, vous êtes des puits d'une telle profondeur ! personne le nie ... mon frère le nia pas, il admit avec moi que c'était bien la maison qu'on voyait, on l'avait aperçue sitôt qu'on eut gravi le coteau, à mesure que nous nous en approchions elle nous épiait de chacune de ses fenêtres béantes, arrivés près, nous l'entendîmes qui hurlait du fond de sa cheminée éteinte depuis des années, de loin aussi on avait vu qu'il y avait du monde autour, vus à distance ces gens avaient l'air drôles, on riait, on pouvait le faire qu'en s'esclaffant tous les deux, on les comparait à des pingouins du pôle sud, quand même qu'on dirait qu'il y a là que des manchots, un ethnologue et moi, mon frère pas plus, sommes pas forcés de savoir ... ici on dit manchotte quand on parle d'un gars à qui il manque un bras, un gars qu'est pas manchotte, avis de pas s'y coller, pas le narguer, faites-vous amis d'abord, après faites-vous-en un aide-de-camp ... les faibles se font des amis des forts quand la chance se présente, moi je devrai, je la laisserais passer ? pas question, seul et faible on me démolirait ! ... du monde m'haïssent sans bon sens, je veux bien, mais pas au point de me démolir, devant mon miroir je me dis qu'ils auront la tâche facile, faut que je presse les mains sur la surface froide pour m'assurer de ma présence, quel fort te défendra ? mon reflet fait un geste d'ignorance, y a rien de pire que pas savoir, je dirais des choses de ceux qui veulent pas savoir, par pudeur je vais m'abstenir, peut-être que j'ai peur des représailles, je suis qu'un poulet, cuit je pourrai plus que glousser en sourdine ... quand nous fûmes près de la maison et des hommes qui s'affairaient autour chacun d'eux nous fit un sourire et un petit signe de tête sans plus, puis ils s'en allèrent, ils nous reconnurent pas, les plus vieux d'entre eux avaient dû connaître notre père, certains d'entre eux avaient des liens de parenté avec nous, je pense aux Bournival qu'il y a par là dans le bas du rang, même le voisin et le deuxième voisin c'étaient des Bournival, on avait dû jouer ensemble jeunes, il fallut les suivre jusqu'aux granges qu'ils étaient en train de démolir pour

19

tirer les choses au clair, on sut qu'ils allaient aussi démolir la maison, ça nous fit mal en dedans de savoir, on aurait voulu qu'ils la conservent, eux étaient pas du même avis, autant se débarrasser de ce qu'est pas utilisable, elle était bien vieille, on en convenait, elle avait pas été entretenue, inhabitée depuis des années, quand même j'avais cru qu'en la réparant un peu, en la peinturant... je leur disais ça, rien à faire, c'était pas faisable sur une vieille affaire comme ça!... des vieilles affaires de même, maisons et granges, vieilles femmes... j'avais beau dire à ces gens qu'on conserve les morts plus longtemps en les embaumant, ça les intéressait pas, les Indiens retardent pas la décomposition de leurs morts en les embaumant ou en les plaçant dans des cercueils hermétiquement clos, lorsque l'esprit a fui le corps ils le rendent à la terre, tout le monde, les héros comme les autres, l'héroïsme ils comprenaient peut-être pas ça de la même façon que nous, même nous c'est pas clair, c'est peut-être plus comme c'était, l'héroïsme, des fois que ça consisterait plus qu'à manger avec ses doigts ou à montrer son derrière, Johny Halliday le fit en pleine rue à Bruxelles, aux policiers qu'il le montra, tous ses amis virent dans son geste un acte de pur héroïsme... qui perd l'esprit? faut en avoir eu... elle avait perdu l'esprit la maison à cause de sa trop grande vieillesse, elle subirait le même sort que les granges, ils étaient en train de les défaire, les grosses poutres de la charpente étaient déjà alignées en nombre impressionnant par terre, un gars s'affairait à les couper en longueurs appropriées à l'aide d'une scie à chaîne, le ronron de la scie tentait de s'en aller vers le premier rang, il nous revenait à cause des collines au milieu des terres qui nous le renvoyaient, vous voyez que j'en dis des choses!... j'en dirai plus, je dirai tout, la vérité seule importe toute confuse qu'elle soit, vous vous y retrouverez bien, je m'y retrouve moi!... un peu de bonne volonté, c'est tout!... pour comprendre on a qu'à se donner un peu de peine, la moitié du mal seulement qu'on se donne à regarder un tableau moderne, le Coteau des Pins dont je vais vous parler je le vois comme sur un tableau ancien, si on voulait le peindre aujourd'hui on pourrait pas, il reste plus rien, c'est tous les pins qui sont partis de dessus le coteau à l'autre bout de la terre qu'avait mon père et de celles des voisins, je l'ai vu alors qu'il était dans toute sa beauté, la beauté c'est comme l'héroïsme, on comprend plus ça comme avant, c'est on peut pas croire comme c'est changé, ce qu'on admirait, nous autres à s'en pâmer on regarde même plus aujourd'hui... c'est la fiction qu'est à l'honneur, ils nous ridiculisent, les jeunes, parce que certains de mon âge ont horreur de la fiction, c'est-à-dire de presque tout, qu'ils disent, je les approuve un peu, moi j'ai pas tant horreur... c'est que les vieux qu'ont pas voyagé et ont vu toujours les mêmes choses, ils s'imaginent pas qu'il y en ait d'autres, c'est peut-être pas mieux pour ceux qui ont trop voyagé, ils finissent par ressembler à la route, ils se contentent de l'illusion du mouvement qu'elle leur donne... finies les illusions quand l'auto tombe en panne parce que le conducteur est en train de mourir sans confession, il était plus tout jeune à preuve sur le siège arrière la grosse femme qui voulait pas mourir en panne nue avec les gros seins qui lui claquaient sur l'estomac quand l'auto marchait en mauvaise suspension, les plus jeunes en voudraient pas, ils préfèrent les maigrichonnes, ils les amènent pas au Coteau des Pins qu'est plus, leur musique sous les pins, vous imaginez ce que ça serait!... leur musique, les jeunes, tous les ébranlements!... la vieille génération se contentait d'une chanson à boire scandée par un choeur de bébés... le Coteau des Pins restera dans ma mémoire longtemps, c'est comme la chanson de ma petite mère, elle la chantait jusque sur mon berceau qu'on me dit, elle disait qu'elle l'aurait dans la mémoire longtemps, j'ai jamais su au juste de quoi elle parlait, de ma conception peut-être?... je fus pas conçu par l'action du Saint-Esprit mais par l'action des corps d'un homme et d'une femme, peut-être qu'elle parlait des douleurs endurées au moment de ma naissance, c'est pas des choses à dire sur les berceaux, quel air je devais avoir alors?... une motte de beurre... c'est de boue qu'on est fait!... c'est pas des choses qu'on doit dire aux petits bébés innocents, ils constateront bien assez tôt, je vois qu'on fait une erreur, je vois, je vois, je te vois bien rêveur, Bruno!... je suis, d'autres devraient l'être, bien plus que moi encore, je suis pas assez, je disais rien, je pensais, je pensais surtout aux bébés, aux tout petits bébés comme je devais en être un, d'autres devraient y penser bien

21

plus qui en font sans cesse, j'en ai pas fait tant ! petits bébés faut les aimer, pitié pour ces condamnés à vivre et à mourir !... certains c'est pas trop vilain leur entrée dans le monde, d'autres ça l'est beaucoup, avant qu'ils naissent, les bébés, vous pouvez pas les accuser d'être la source de tous vos maux... après vous ferez, c'est atroce !... c'est jeunes, des hommes, qu'il faudrait les castrer, les femme les stériliser !... ce côté c'est trop de condescendance, on oblige personne, faudrait !... les bébés en souffrent, c'est en pays gais qu'il faudrait introduire les bébés, gais gens vous êtes plus, j'ai jamais vu mes parents tellement gais, je comprendrais pour des pays plats, sables partout et glaises, bétail absent, des tristes étangs partout à contourner, des roseaux ça nourrit pas son monde, ça fait que s'agiter dans le vent, nous le pays c'est mieux, pourquoi qu'on serait pas gais ?... quand on est pas gai faut y penser avant de mettre des bébés au monde... les deux femmes du deuxième rang en visite chez nous disaient à ma mère de pas garder des choses trop longtemps dans la mémoire, surtout se garder de les dire aux bébés, elles les disaient pas aux bébés, elles se contentaient de s'engueuler entre elles, une engueulade à n'en plus finir au sujet des douleurs de l'enfantement, pas écoutables les choses qu'elles disaient, je comprenais pas tout, j'en comprenais, celles que je comprenais pas je les supposais telles de même ou pires, pi-res !... je les ai gardées dans ma mémoire longtemps, la preuve est que je les ai encore, je pensais pas que des femmes pouvaient parler de même... pourquoi qu'elles parleraient pas comme les hommes ?... aux hommes et aux femmes qui en ont envie qui pourrait interdire d'exprimer leur dégoût ?... la Vierge avait-elle éprouvé les douleurs de l'enfantement, c'avait été le sujet de la conversation des deux femmes, une vraie dispute, des in-sultes même, certaines des choses qu'elles disaient je les trouvais bien folles, il y a eu les Vierges folles de l'Évangile, celles-là étaient pas des vierges ni des femmes d'Évangile... faudrait que je cesse de parler de l'Évangile... on disait quand nous marchions au catéchisme que tous les diables qui parcouraient le monde pour la perte des âmes étaient des anges déchus, les Anglais qu'étaient des Anges parcourant le monde pour la perte des races, je suis méchant de dire ça, c'est plus fort que mon vouloir, je veux pas déchoir! on croyait tout alors... les deux femmes exagéraient, les douleurs de la Vierge c'était pas leur affaire, elle en eut sept!... leurs idées elles défendaient âprement, l'une, l'autre en retour, le juste retour des choses, retour et retour!... si on fait que retourner en arrière on avancera jamais, mon histoire pas plus si elle est faite que de retours et avancements... ce qui m'est resté de l'âpre dispute des femmes c'est qu'il y avait chez elle aucune condescendance, aujourd'hui encore il y en a ben manque partout dans le monde, même dans nos campagnes et villes les gens s'haïssent à mort, ils le disent pas, ça se sent... y a tant d'amour!... foutaise, y en a pas tant!... ils ont pas de condescendance ceux qui me lisent, faudrait que je cesse même de parler du Coteau des Pins au premier rang, ils veulent même pas entendre parler de la Côte Belle qu'était plus loin, elle était belle et ben à-pic, elle est plus belle ni laide, elle existe plus, remplie à ras bord la coulée, au fond de la coulée coule toujours le petit ruisseau, on y prenait des truites avant qu'on déboise tout partout, le ruisseau tout petit ici deviendra grand, à la Côte à Bournival sur le chemin de Yamachiche on l'appelle déjà le Grand Ruisseau, au village qu'il traverse c'est petite rivière qu'il est devenu, qui le printemps se permet d'imiter les grandes en sortant de son lit, elle inonde la route 2 et la cour du collège, elle épargne l'église, se contentant de lui lécher les pieds!... chacun sa chacune, chacun sa licherie!... à la Côte Belle les automobilistes se rendent pas compte, les côtes doubles ou simples de nos jours sont plus à-pic, toutes furent nivelées par condescendance pour les autos, c'est le monde maintenant qu'est à-pic et susceptible, le monde s'en viennent drôles malgré tout ce qu'on fait pour eux, ils prêchent des choses sans condescendance, j'en ai plus pour ceux qui baptisèrent mon beau coteau boisé des plus beaux pins Pine Hill, c'est pas un nom pour nous!... ils le nommèrent ainsi quand ils passèrent la ligne de transmission électrique en plein milieu, l'un d'eux je voulus gifler fort pour ça, j'avais pourtant qu'une toute petite main, mais audacieuse on pouvait pas plus, téméraire, une rage au coeur grosse comme la Montagne Ronde qu'est à Charette du côté de Saint-Boniface, l'aut'bord de la ligne des chars!... le boss de la ligne de transmission je lui lançais des regards meurtriers, faudra que je prenne sur moi, autrement je finirai par commettre un meurtre, je l'aimais pas cet Anglais qui faisait ériger une série de tours destinées à supporter les fils à haute tension, d'autres Anglais avec lui venaient manger chez nous, ils payaient bien, ma mère leur servait les meilleures choses, les bonnes grillades de lard et les omelettes aux oeufs de nos poules, des confitures aux fraises et aux framboises, aux bleuets et du sucre du pays fait par mon père à sa sucrerie de la Grand-Montagne, t'es bien heureux, Willie, qu'ils disaient à l'unisson les Anglais, le boss lui tapait sur l'épaule comme font les amis sincères au cinéma, une bonne petite maison, une gracieuse petite femme, des enfants tous les ans, il voyait pas qu'on était souffreteux, l'argent fait pas le bonheur... pourquoi qu'il disait ça?... il savait qu'il mentait, c'est que dans les films qu'on voit des pauvres heureux!... ailleurs ils se plaignent amèrement... je voudrais bien qu'on cesse ces envolées utopiques qu'en valent pas la peine sur le bonheur des pauvres résignés, c'est en dedans qu'est la révolte qui cesse jamais, parce qu'il avait mangé plein son ventre de nos meilleures choses il s'imaginait qu'on mangeait de même, s'il avait su il l'aurait fermée sa grande gueule, nous c'est des brouets sans nom auxquels on ajoutait des patates fricassées qu'on se nourrissait pire en pire à mesure que le nombre des enfants augmentait inconsidérément, la soupe qu'on sert en ville à l'Armée du Salut un délice à côté!... la ligne de transmission de l'électricité c'est la Shawinigan Water and Power Co. qui la faisait ériger, avec un nom comme ça elle pouvait tout faire la compagnie, elle passait devant chez nous sur la terre du voisin, elle vendait son électricité produite à Shawinigan à la Montreal Heat and Light... elle frappait, la ligne, en plein dans la belle talle des pins sur le coteau, ils furent abattus sans pitié, c'est le coeur triste qu'on assista au carnage, un vrai de vrai, de quoi s'attrister vraiment, faudrait pas verser dans les excès, des gens, quand ils se mettent à être tristes, c'est de même quand ils boivent, ils s'anéantissent!... on déplore... ils roulent aux cailloux, ils croulent pour mieux dormir, c'est pas ceux-là qui accélèrent l'histoire... ils remettent toujours à plus tard... on finira pas de lanterner?... les pentes on trouve

toujours trop raides... piètre allure, on fait que du badigeon-
nage de cacas... la façon que ça va tourner, encore à genoux,
signe de croix!... on les voyait tomber les uns après les autres,
les pins, abattre, abattre, on parle que de ça... c'est un abat!...
y a des abats qui font mal aux abattus, souvent c'est nous qui le
sommes... j'eus souvent l'air abattu au cours des ans, c'était
pas sans raison, qu'elle est la raison chrétienne et humaine qui
veut que ce soit toujours aux mêmes toutes les misères?... à
nous c'est toujours le tour de se faire abattre, j'en ai vu des
nôtres l'air abattu passer au Coteau des Pins bûchés, bûchés
tous les pins, qui s'en allaient aux États, ils se multiplièrent là,
ils firent des Canucks en plein, qu'est-ce qu'ils ont l'air maintenant, l'air de rien... certains revinrent comme mon oncle
Hercule et tante Célina, ils se fixèrent à Montréal, mon oncle
et ma tante firent ça, d'autres comme eux en firent autant,
déracinés ils devinrent, on parle pas des déracés dératés noyés
éventrés, y en a que ça leur fait rien se noyer pourvu que ce soit
en douce, éventrés tous, entrailles et tripailles répandues, ça
leur fait rien pourvu qu'on les anesthésie, la forte dose!...
ménagez pas le chloroforme!... opium, lsd, mari toutes drogues
amènes-en sans compter!... j'enrage de constater, assommer
les noyés pour les tirer d'affaire c'est pas une solution, c'est
leur apprendre à se bien tenir qu'il faudrait, prendre une posture
acceptable, c'est la tâche qui nous attend, si on fait rien ils
passeront pas l'hiver! je déplore, j'en dors plus, les Anglais
dorment avec des ronflements de cochons, les cochonnes avec,
les riches, ceux des Anglais qui sont pauvres c'est le petit nombre, c'est les seuls d'entre eux avec qui je m'entends bien, eux et
moi et nous on fait entendre le même son, la langue c'est plus
un obstacle à la bonne entente, on use des sons qu'on connaît qui
constituent la langue internationale des pauvres quand ils vo-
missent la nourriture infecte, la seule qu'on leur sert! les sons
communs quand les tripes leur sortent par la gueule... on se
répond des litanies qu'on dit pas à l'église, épuisés on finit par
s'endormir les uns dans les autres, on se garde bien de ronfler
comme les riches cochons, toujours aux aguets, il y en a malgré
tout qui dorment avec une belle image dans la tête... vous
devinez laquelle?... celle de la fraternité humaine! ça se

comprend, c'est qu'en image qu'elle existe !... l'harmonie, shitt
et shitt, celle de la merde des peuples... l'équilibre on dit que
ça existe, pas plus que l'harmonie, je vous dis !... ça existerait
si les contraires pouvaient devenir complémentaires... c'est
peut-être pas possible l'accord parfait de notre petit peuple re-
constitué, c'était un rêve, je m'éveillai en soupirant d'une voix
d'entrailles, c'est bien éveillé que je vois des nôtres manger des
choses informes, s'il faut vivre ainsi je veux pas, je partirai en
voyage, j'aurai besoin d'herbe, besoin de foin pour mon joual !...
les Canucks y en a qui sont devenus riches, ils s'en félicitent
ceux de Montréal qui le sont devenus, ils s'imaginent qu'ils
seront moins méprisables s'ils renient la race... c'est avec nous
qu'il fallait rester pour renforcer la race ! s'il faut se fier sur
eux pour lui inculquer une force nouvelle... ils se tourneraient
contre père et mère, c'est mon père qui nous racontait les aven-
tures des nôtres partis aux États, toutes sortes d'histoires invraisemblables qui commençaient au Coteau des Pins ou dans les
rangs, le Coteau des Pins était toujours à l'honneur, c'était le
lieu de prédilection des loups-garous, ils effrayaient les passants
qui couraient jusqu'à la Côte Belle la langue sortie comme chiens
courants, à ce temps-là où se passaient les histoires, Saint-Barnabé existait pas, c'était Yamachiche jusqu'en haut, aussi haut
qu'on voulait, pas question alors de Charette, de Saint-Élie,
Saint-Mathieu, c'était Yamachiche partout, le monde partait de
loin pour aller à la messe là en été, treize milles de la maison
de mon père à faire à pieds secs ou mouillés, ils marchaient
presque tout le temps pieds nus pour pas maganer les souliers,
même ceux huilés faits de peau de boeuf à la maison tant bien
que mal cousus à la babiche, ceux en cuir patent c'était rien que
les riches qui en avaient... les riches des villes déjà alors, et
les snobs prétentieux méprisables des villages d'en bas avaient
le mépris facile, en retour on en faisait autant, dès lors ils méritaient qu'on les haïsse tant et plus ceux qui avaient toutes les
belles affaires !... on aurait voulu les leur rentrer là où qu'on
s'entre sur l'ordre du médecin les suppositoires ou le doigt
quand un est dans l'oeil... ces gens nous estimaient pas des
villages d'en bas et des villes, gens négligeables tout à fait, nous,
les gens d'en haut, où on restait c'était des hauts pour eux, ils

étaient pas bien évolués, nous on savait qu'il y a des hauts bien plus hauts !... l'un d'eux du village d'Yamachiche, un repu tassé au fond d'un fauteuil à peine s'il nous regarda, sa femme, toute hostile elle fut à notre égard, on voulait seulement qu'ils nous laissent nous reposer un peu après notre longue marche, on avait pensé qu'on pourrait le faire chez eux, des fois on arrêtait chez les gens comme ça, des fois c'était pour laisser passer les averses, on voulait pas leur voler leurs biens, on était bien trop honnêtes dans ce temps-là, ou simplement trop naïfs, les riches d'aujourd'hui ils craignent bien plus que ceux d'alors pour leurs biens et ils ont raison, allez !... en effet, effroyables pour les riches les temps qui s'en viennent, vous verrez !... les Anglais riches surtout ont tout à craindre, ils devraient savoir, ils savent, on dit qu'ils devraient avoir toujours l'oeil bien ouvert, c'est un conseil qu'on leur donne... bientôt ils pourront plus sortir de leur maison, des vieux peuvent plus à cause d'une dent qui prend froid parce qu'un trou s'est creusé à travers l'émail... des rêveurs à la campagne sortent des maisons qu'après que la lune est tombée alors que toutes les maisons éparpillées dans la campagne ont l'air de boîtes d'allumettes qui s'embrasent dans la nuit !... on conseille aux riches de se priver de sommeil, on veut qu'ils sachent qu'il est fini le bon temps des ronflements indus, mille fois raison qu'on leur dit de s'abstenir de tout sommeil, pensez !... du moment que vous êtes haïs, Anglais ou autres, tous recherchés par millions et millions d'étripeurs, vous avez plus qu'un recours, je dis, et c'est celui de plus jamais dormir, de garder les yeux grands ouverts comme panses bovines !... chez les gens dont j'ai parlé et chez les autres gens riches snobs prétentieux méprisables du village de Yamachiche on cessa de s'arrêter, on s'assoyait au revers des fossés pour se reposer, les averses on les endurait sur le dos, par après on apprit à se faire des amis parmi les pauvres, les pauvres le seul vrai monde oublié digne de mention sur la terre !... c'est chez eux par après qu'on s'arrêtait, une place surtout on adopta, on y était bien reçus, c'était un peu avant le village une maison où c'était plein d'enfants de tous âges tout le temps à se foutre des tartines à la mélasse et à se culbuter à travers les grandes personnes, les père et mère de toute la marmaille les pires, ils

27

étaient aussi enfants joyeux et enthousiastes que leurs enfants, ça on trouvait ça bien !... écoutez, écoutez tous adultes, écoutez, quand elle a fini d'être enfant, l'humanité tourne funèbre, bedeaux sonnez le glas !... de quoi elle serait gaie l'humanité ?... elle chemine sur une route triste, il y a que l'alcoolique fini absolument pour prétendre que la route est drôle, il sait pas qu'elle mène nulle part... où ça les menait leurs prétentions, les snobs du village, la femme qui nous fut hostile où ça l'a menée son hostilité à notre égard maintenant qu'elle est morte ?... pourquoi qu'elle s'était montrée méchante nous qu'avions que de bonnes intentions ?... ça l'a pas empêchée de mourir, les bonnes intentions qu'on avait eues on les perdit, on fit plus que rire d'elle, on trouvait tout drôle, on la suivait sur le trottoir, des jambes comme des piquets qu'elle avait, à côté du trottoir on imaginait qu'elles se seraient enfoncées dans la terre, qu'elles disparaissaient déjà sous l'herbe, le plus vite le mieux et sa dédaigneuse prétention pincée avec !... on put pas rire longtemps, elle mourut peu après, on la pleura pas, je sais pas qui la pleura, c'est pas nécessaire, elle revenait de l'église qu'on dit, elle tomba comme ça sur le trottoir, sur le dos, la robe relevée plus qu'il aurait fallu, le scandale de ceux qui virent !... les gens virent ses jambes nues ouvertes montrant avec obscénité la fente de chair et la toison de poils, on savait pas qu'elle portait pas de culotte !... elle était peut-être pas si vertueuse qu'on avait dit, puis la vertu qui se fait une juste idée de ce que c'est ?... si ça consiste qu'à cacher sa fente ou sa pissette c'est facile... Desaulniers ils se nommaient les gens chez qui on prit l'habitude de s'arrêter, ils demeuraient dans une vieille construction de bois mal badigeonnée qui disparaissait derrière des haies d'arbustes broussailleux et sous des ormes géants, les ormes étaient beaux alors, il avaient pas connu la maladie hollandaise qui les ravage de nos jours... c'était de notoriété publique que les gens chez qui nous nous arrêtions s'en faisaient pas, les calomniateurs calomnieux coeurs crasseux noirs comme suie en rajoutaient pensant faire oeuvre agréable à Dieu, ils disaient que c'était des gens insouciants et des paresseux, à preuve les alentours de la maison où tout était à l'abandon partout, c'est pas au ciel qu'on verrait un tel désordre ! là

toutes cours à bois parfait ordre ! planches toutes alignées !...
chez les Desaulniers nos amis on pouvait pas trouver pire, trous,
ruisseaux, étang d'urine et de fumier dans le milieu de la cour
où se vautraient des porcs... la réputation qu'ils avaient, vous
devinez ?... nous on les estimait, la première fois qu'on arrêta
chez eux on leur dit qu'on venait des hauts pas trop hauts
qu'étaient pas les vrais hauts, on leur aurait pas dit qu'ils auraient
deviné, on se devine, on se comprend entre pauvres, ils nous
donnèrent à manger, ils le faisaient toujours, pas besoin de
demander, on voulait toujours refuser, les riches auraient pas
fait ça pour nous, se fier aux riches on vivrait pas gras, aux
os !... la maigritude absolue, même les os vidés de leur moel-
le !... c'est connu c'est rien que les pauvres qui s'aident entre
eux, eux, les riches gros bides tout pour eux, les grosses saloperies !... fallait pas tenter seulement de faire valoir quelque
qualité que ce soit de nos amis devant les snobs du village, tout
de suite c'était les sarcasmes de tous ces gens collets montés,
c'est les prendre au collet et les démonter qu'aurait fallu, au
besoin les étouffer noirs là tous !... pour l'un on tenta, il trébucha et écrasa tout à fait son chapeau qu'il tenait à la main,
ce qui le fit jurer plusieurs fois... les Desaulniers apprirent,
et le même jour, qu'ils avaient hérité, ils devenaient presque
riches tout d'un coup, un oncle de Montréal qui avait travaillé
aux États dans sa jeunesse leur laissait trois maisons de rapport,
à l'ouïe de cette nouvelle terrible le mari et la femme s'achetè-
rent un gallon de vin qu'ils burent en entier, alors ils se senti-
rent soulagés et résolus à supporter leurs nouvelles responsabili-
tés, leurs jambes titubantes les portèrent jusqu'à la gare où ils
prirent le train pour aller reconnaître leurs biens dans la grande
ville... chez nous en haut des rangs, sur des terres pas toutes
défrichées il y avait pas de riches, juste des gens qui prenaient
le dessus, l'hiver les gens des hauts allaient pas à la messe,
c'est mon père qui m'a dit ça, lui l'avait su de son père, Willie
mon père j'ai pas connaissance d'en avoir eu d'autre, un père
c'est tant qu'y faut, le mien était pas gros, conter des histoires
vraies ou en inventer ça lui faisait du bien autant à lui qu'à
nous, des fois il voulait pas, ah pas un petit bout ! c'est les
périodes où le découragement s'emparait de lui, il eut jamais la

vie facile, des soirs d'automne il filait un mauvais coton, il sortait
dehors, ma mère aimait pas ça le voir sortir ainsi, elle ordonnait
à mon frère Louis de le suivre, il s'en allait dehors tout temps
pluie ou pas, il marchait dans les flaques d'eau sur le chemin
de l'étable, toutes sortes de bruits sinistres vibraient dans ses
oreilles, il s'aventurait loin dans le noir, grelottant et claquant
des dents, butant sur tout, c'était des temps bien tristes, les
temps d'automne, le mois des morts, le pire de l'année... c'est
bien mystérieux, la mort, la vie de même, le monde trouve ça
bien effrayant, on a appris des jeunes d'aujourd'hui à dire que
la mort c'est simplement un état où on peut plus être atteint par
les choses, on entend plus alors, morts, les bruits du monde, dans
ce temps-là le monde avait pas les mêmes idées, il y en a qui en
ont des baroques... y en a qui voudraient se faire congeler
pour l'éternité, au zéro absolu !... le zéro absolu c'est l'immobilité totale des molécules, on comprend ça de la part de ceux
qui ont toujours affectionné l'immobilisme... ceux-là quant à
moi ils resteront bien gelés pendant toute l'éternité, en quoi
leur sort est-il si enviable ?... en tout cas c'est pas moi qui
songerait à les faire dégeler, on demande qui ferait la bêtise, je
voudrais bien voir celui qui tenterait !... l'hiver quand notre
père sortait dans la nuit par temps impossibles des pires tempêtes on s'inquiétait vraiment, on aurait craint davantage si on
avait su comment les vieux Esquimaux sortent dans la nuit pour
plus revenir, personne nous avait raconté encore la chose, on
était soulagés quand on entendait ses pas sur le perron, on sait
pas si c'est par les pires nuits tempétueuses pareilles qu'on fut
engendrés après ses courses folles dans la nuit, quoi qu'il en soit
il nous engendra petits, menu lui-même était, menus il nous
engendra, menus nous sommes restés, trottez menus !... c'est
à peine si on nous voit ! les curés pas plus que les autres, moins
même, le curé Lamy que je visitai au Cénacle des vieux prêtres
de la Pointe-du-Lac me disait à cette occasion qu'on était du
monde trop petit, qu'est-ce qu'on peut faire avec du petit monde
comme ça ?... la grande sainte Église aimerait ça gros, c'est
une corpulente au point que des malins disent qu'elle leur cache
le Christ... au bordel les putains sont pas si regardantes pourvu
qu'on paie bien, j'ai toujours payé à l'Église mes droits et dîmes,

le Lamy c'est vrai qu'il était tombé en enfance, la vérité sort de la bouche des enfants, c'est vrai qu'on est du petit monde, on y peut rien même si l'Église veut ça gros, je dirai pas comme tous ces méchants qui disent d'elle... Dieu m'en garde!... il y avait pas que des petits dans notre lignée, par ma mère c'est des Gélinas, elle s'appelait Delvina Gélinas, il y en a des gros, les uns sont abbés, les autres sont pas, Lésime Gélinas, dit le Gros, cher oncle de ma petite mère, ses descendants comptent dans leurs rangs des gros restés jars comme tout et prétentieux, parmi les descendants de Philippe, dit le Gros aussi, c'est la même chose, Hermile l'excellence même qui fut maire et les autres de mêmes pères et mères par terre et par air, des gens en l'air, des gens d'église, dans les retraites on leur a dit que le ciel était en l'air!... les missionnaires martyrisés montraient à leurs bourreaux Iroquois du doigt le ciel haut en l'air, ce qu'est en l'air il y a bien du danger que ça s'en aille en vent dans les grands vents, il y a des vents qui sont pas des pets de singes, ce qu'est à l'eau on en parle pas, c'est pourtant par eau que vinrent les Anglais, des matamores s'il en fut!... nous les petits, pas de Gélinas matamores dans notre lignée, c'est à Yamachiche tous dans la lignée des Bellemare qu'on les trouve, ils furent déjà des Gélinas comme les autres avant, ils ont changé, jusqu'à leur nom, c'était leur affaire, ils ont pas d'affaire à dire que parce qu'on a pas changé de nom on a l'odeur rance, qu'on a celle de la pourriture qui leur pince le nez... nous c'est leurs chansons qu'on a jamais aimées, les matamores issus des Bellemare faisaient que les hurler, leurs complaintes toutes drôles nous pénétraient les oreilles... l'air de rien, en chantant ils ont appris aux Gélinas à boire, il y en a maintenant qui boivent comme des trous, j'ai appris moi aussi!... la première rasade me brûla la gorge et me fit une colonne de chaleur jusqu'en bas du corps, jusqu'au ventre, elle s'égara sous le nombril, le mien qu'est pas celui du monde, pour pas que cette bonne chaleur reste seule égarée dans les profondeurs j'en pris une autre et d'autres après, c'est toute une assemblée des fois là-dedans!... des Gélinas toutes tailles ont débordé les frontières de leur pays d'Yamachiche, y en a partout maintenant!... des petits et des gros, les moyens sont en grand nombre, une bonne moyenne

en intelligence, c'est pas tout le monde qui peut être sublime !...
sublimes ou pas y en a de rendus jusqu'à Saint-Mathieu-du-Lac-
Bellemare, vous savez pas où c'est ?... cherchez sur la carte,
des cartes routières on en donne !... des Bellemare aussi partout, il y a quelques Lacourse, tout ça descend des Gélinas origi-
nels, c'est pas des péchés !... des Bellemare il y en a jusqu'aux
sources de la rivière Yamachiche, des Gélinas pure laine plus
encore, les Lacourse ils sont partis aux États, là-haut aux sources
les Bellemare et les Gélinas ça se marie entre eux, des fois
comme tout le monde ils le regrettent, ils le disent pas, ils
gardent ça en eux, pour moins souffrir sans doute... ils iront
pas crier ça sur les toits qui sont bas, ceux des maisons à peine
poussées, ils se rendent compte d'ailleurs que même en ouvrant
grande la bouche il seraient incapables de crier, les plus malheu-
reuses des femmes se mordent au sang les doigts, il arrive que
des sanglots trouent leur corps, le défont, le décomposent...
ça prend alors des jours pour s'en recomposer un, celles qui y
arrivent plus disent qu'elles voudraient mourir, c'est pas vrai,
elles se mentent à elles-mêmes, vous pensez pas à toutes les
choses qu'il leur faudrait oublier ?... trop de choses à oublier
pour mourir avant l'aube dans les grandes douleurs précédant
le vide... quand on pense que les fermières, qu'elles soient des
Bellemare ou des Gélinas ou même des Déziel, pourraient pas
même oublier les cochons à nourrir, elles aiment les voir manger
voracement la bouette fumante qu'elles se chargent de verser à
grands seaux dans les auges creusées à même les troncs des
arbres... la rivière Yamachiche, en haut, s'appelle la rivière
Charette, quelque part, bien plus bas, c'est la rivière des Dalles,
en bas elle est bien boueuse, c'est bien des noms pour une seule
rivière qu'est pas grosse, dans l'arrière-pays elle prend pas
toutes les eaux qu'il y a là, où les eaux se divisent, le lac Souris
et la rivière du même nom prennent leur part, cette dernière
une queue pas longue, elle contourne le village et se traîne de
peine et de misère jusqu'à la Petite Shawinigan dans laquelle
elle se jette, laquelle est un affluent de la rivière Saint-Maurice,
les gens disent le Saint-Maurice comme on dit le Saint-Laurent,
comme s'il s'agissait d'un fleuve, c'en est presque un !... il se
perd à Trois-Rivières dans le grand fleuve qu'est un vrai de

vrai, qui se prolonge jusque dans la mer !... c'est là que tous les fleuves du monde ont foutu le camp !... Georges Dor en demande pas plus... ceux qui oseront dire que c'est pas une bonne note il va leur en boucher un coin !... il aurait des comptes à rendre aux jaloux sots ?... qu'ils se rendent compte avant de critiquer, les minois chiffonnés, que la nature s'est pas donné tant de mal pour eux ! là-haut au lac Souris, contours, ravins, ruisseaux, autres lacs et encore des lacs, la nature était ce qu'elle devait être, pas spoliée ni polluée, pourtant ça viendrait, sur la petite rivière Souris on érigeait une scierie, c'était rien, allez voir aujourd'hui !... chalets partout se touchant, fesses baladeuses en plein, jambes atrophiques ou beautés gravées, nichons les plus beaux et les autres presque partout montrés pour vous inciter à croire que la porteuse a la bonne recette, on porte pas que du pain, l'homme peut pas vivre que de ça !... prudence, qu'on soigne ses propos, les femmes beaux yeux en amande, noirs et toutes couleurs s'attendent à mieux... elles font tous les efforts, leur fascination est au point... prêtes à tout ou simple impression de notre part... le moulin à scie qu'un Gélinas érigea sur la rivière Souris fut de nombreuses années en pleine activité, planches, madriers, lambourdes, chevrons faîtages, on bâtissait à qui mieux mieux, on venait de Shawinigan, acheter son bois scié, plus tard il fit des bardeaux de cèdre pour tout le monde, pour les toits des maisons, on en posait même sur les murs extérieurs, à Montréal ils en voulaient pas, c'est de la brique et du ciment, des murs durs, si les hommes étaient aussi durs c'est le carnage qu'on aurait ! les mous tenteront sans résultat de se soustraire à l'asservissement, cassez-vous-y gueules et nez !... ils se contentent de mettre un drapeau sur les murs et c'est tant qu'y faut pour les mous en pâmoison en grande fête naïve sous les plis du dit drapeau, n'importe lequel pourvu que la guenille vole au vent des barres dedans ! Saint-Georges priez pour nous !... ils manquent de bardeaux ! dans les hauts alors on manquait pas de bardeaux, on en manque aujourd'hui on fait des toits de tôle, infamie !... en politique des fantoches qui manquent pas, infamie !... infamie, flétrissures imprimées à l'honneur, vous pensez que c'est pas vrai ?... faudrait tout de même pas mettre toutes les infamies et les innombrables malaises du monde sur le compte des bardeaux manquants !... qu'on mette tout sur le compte des salauds ! il y en a tant et tant au parlement, à l'église, au ciel, en enfer, au purgatoire, toutes indulgences demandées, achetez à rabais !... salauds, le diable en est et ses acolytes, demandez à Dieu !... c'est lui qui sait de quel bois il les a faits, il doit se rendre compte que la terre est pas assez grande pour les enterrer tous !... deux rangs superposés alors !... les bardeaux superposés, s'il en manque un ça coule !... bon Dieu ! ça vaut pas cher une couvarture qui coule !... tous les jours on s'aperçoit davantage des manques, on s'en plaint, faut !... à quoi serviraient toutes nos épreuves comme petit peuple perdu en terre d'Amérique si on se plaignait pas ?... c'est tout ce qu'on peut faire, que vos plaintes s'élèvent de partout, qu'elles attaquent dans son système le conquérant, dans son système nerveux au point de l'affoler, quand il sera devenu fou tombez lui dessus, empruntez le fouet à Lacroix !... ce fouet ça fait assez longtemps qu'il s'enfonce dans nos épidermes pour en ressortir tout sanglant, pour une fois qu'il serve une bonne cause ! autrement c'est damné tout à fait qu'il sera, les damnés le sont parce qu'ils auraient négligé d'embrasser la petite croix !... y a manque d'embrassades, manque de bardeaux, manque de tout chez nous, les bardeaux surtout, il y a bardeaux et bardeaux... aux cimetières c'est tous des manques, sur les toits les bardeaux manquent, ou pas bien superposés, faudrait y voir, notre cas est trop grave pour tout laisser passer, à moins d'être résignés de laisser passer avec la mort collective... on veut pas mourir !... on est un peuple qui veut pas mourir... on pourrait douter, notre peuple s'est peut-être fait à l'idée de la mort, peut-être qu'il se complaît dans son agonie, c'est donc malgré lui qu'il faudra le sauver, il y a manque partout, c'est de partout que le toit coule, c'est de partout que la coque prend eau, songez !... les pieds mouillés et les rhumes qui s'en suivent... il y a manque d'énergie, manque de dignité, le Gélinas d'en-haut de la Souris c'est plus de bardeaux qu'il te faudrait faire, il y a manque partout, le manque va des parlementaires aux cléricaux, ça fait longtemps, les parlementaires admettent qu'il faudrait faire quelque chose, ils font jamais ailleurs que dans les culottes ! les cléricaux admettent rien et l'Église avec, il y a ben manque là !... j'ai lu ces choses un peu partout, j'invente pas, vraiment, paraîtrait que nous sommes à bout de branche, vous l'entendez pas craquer ?... vous l'entendez sûrement !... la branche a cassé, Baptiste a tombé !... pas plus que le Michaud de la chanson on sait pas s'il pourra s'en relever, y a les relevailles de femmes, il y avait des cérémonies à l'église pour ça, des relevailles des peuples ça existe-t-il, les relevailles de notre petit peuple c'est pas l'Église qui va s'en préoccuper... dommage !... si Baptiste se relève pas, s'il devient cadavre, ça fera un mort de plus, l'Église s'en occupera à sa manière habituelle, elle fait de l'argent même avec les morts... ils sont superposés aux cimetières de mon pays, le Gélinas de la Souris qu'il apporte du bois pour d'autres cercueils, et des bardeaux pour les toits qui coulent !... c'est donc faux chez nous toute l'affaire, ce qu'est faux chez nous occupe tout l'espace... c'est la grande enchère de toutes les faussetés...j'ai plus faim de voir ça, si je mange encore c'est pour pas être séparé du monde de mes habitudes bonnes ou mauvaises, ça paie plus d'être bon, autant être mauvais, c'est encore pour pas être séparé du monde de mes habitudes que je parle, faut dire que le plus souvent ma voix se brise au bout d'une cuisine, si on me répond c'est par la voix d'un évier rotant, quand c'est une bouche que je regarde c'est souvent un rictus étrange de nègre lubrique que je vois !... c'est pas que j'ai de quoi contre les nègres, j'ai conscience d'en être un, un blanc bien sûr, mais quelle est la différence nègre pour nègre ?... des fois dehors ma voix se perd dans le vent qui finit pas de l'emporter derrière les arbres, c'est bien mieux qu'elle se perde, j'ai la voix d'un possédé du démon, l'évêque mitré m'a bien donné un soufflet un jour pour m'en déposséder, il a manqué son coup, il est resté, le démon, pas l'évêque... quand je puis plus supporter les murs qui m'entourent je sors, c'est pas bien mieux car au fur et à mesure que je descends les marches je m'enlise dans l'obscurité, la nuit n'a qu'un soupçon de lumière dont je devrais me contenter, tout est prisonnier du silence, tout est immobile, si j'étais que poète je nourrirais mon âme des odeurs fraîches montant de la terre, elle peut pas vivre que de ça ... alors je rentre pour engueuler quelqu'un dans la maison, je m'aperçois que tout le monde a fui, je vois qu'un gros chat jaune resté à dormir sur un coussin roulé en boule affreuse ... c'est pas réjouissant, elle est pas réjouissante en rien la situation des nôtres, trop sombre, y en a que ça leur fait rien, c'est sombre au point qu'on se voit pas, c'est bien ainsi quand on est pas beaux à voir, il y a que des bougies pour nous éclairer et c'est tant qu'y faut ! ... le monde on veut plus le voir, il est pas sympathique, nous pas plus sympathiques, pas liants, les agonisants le sont rarement ! ... je pourrais me contenter des agonisants, ceux qui agonisent pas me fuient à cause de mes idées, ils ont pas l'air de croire à mon truc pour le salut des nôtres, le salut c'est quoi ? ... ils demandent en chœur ! ... un toit étanche d'abord, des bardeaux bien posés, c'était bien l'opinion de mon père Willie qui nous faisait l'historique du moulin de la rivière Souris, l'historique de nos défaites autant pas faire ... ç'avait commencé par une scierie ordinaire, les gens alors faisaient des choses ordinaires, aujourd'hui c'est toute jusqu'au boutte jusqu'à la grande bouffe ! je vous dis pas ce qu'est le mieux des uns ou des autres pour la bonne raison que je sais pas, mon père savait pas pourquoi le Gélinas du moulin du lac Souris s'était mis à faire des bardeaux, délaissant madriers, planches et lambourdes pour se consacrer aux bardeaux, c'est sans doute qu'il réalisait qu'il en manquait gros tout partout ... il racontait toutes sortes d'affaires de même les soirs d'hiver froids à faire péter les clous, des vents si forts les soirs de tempêtes à ébranler la charpente des maisons, les maisons légères se déplaçaient de dessus les galets, les femmes légères songent pas tant qu'on pense à se déplacer, les maisons déplacées c'est pas confortable, des maisons j'en vois des pires aujourd'hui et pas rien qu'en rêve, en rêve elles sont toutes tordues, comme des esprits elles bougent dans la nuit, elles se défont dans les ombres, elles pourraient pas se livrer à ces acrobaties en pleine lumière, les ombres leur sont propices, faites-moi pas parler des ombres, j'arrêterai plus ! ... c'est tout mon pays qui se perd dans les ombres, bientôt des rêves j'en aurai plus, plus de pays non plus, faudra peut-être que j'aille finir mes jours au pays des ancêtres, c'est la Normandie, j'irai revoir ma Normandie ... ça sera qu'en dernier ressort, c'est ici, mon pays, il y aurait le cas que j'en serais dépossédé, qu'il deviendrait plus qu'une ombre, quand je commence à parler des ombres et de mon pays qui s'y perd plus moyen de me ressaisir, c'est un flot de mots qui se bousculent dans ma bouche sans ordre et insensés, les sanglots qui s'emparent de moi peuvent à peine en ralentir le débit, j'y peux rien, tout devient flou, les formes qui restent deviennent toutes macabres dans mes yeux, c'est comme ça... on se racontait pas des choses du genre, les soirs, là blottis toutes lampes éteintes, on avait devant les yeux les flammes du feu de bûches dans la cheminée, ceux qui avaient débâti les foyers de pierre ou de brique pour les remplacer par des poêles de fonte à deux ou trois ponts le regrettaient, ils avaient plus que la lueur émanant de la petite porte, ça faisait pas clair !... dans ces maisons les enfants s'allaient coucher tôt écouter les vents d'hiver ou les pluies d'automne sur les toits, bien roulés en boules de chair sous les couvartes de laine faites par les grands'mères sur les métiers... ces enfants, certaines histoires que je sais ils les sauront jamais, n'importe lesquelles, aucune d'elles ils entendirent raconter, la chose arrive dans les maisons où les parents sont devenus vieux prématurément, c'est les enfants eux-mêmes qui veulent plus les entendre, c'est connu qu'il y a des vieux qui veulent toujours dire des choses que tout le monde sait et que plus personne veut entendre... plus tard ils auront pas des histoires à raconter comme j'en ai plein mon sac et ma tête, celles des punaises pas plus, les punaises les tourmentaient plus, elles étaient accoutumées au goût de leur peau, eux s'étaient habitués à leurs piqûres, de sorte qu'ils vivaient en paix... chacun sa béatitude... celle des enfants était à son comble quand la forte pluie se faisait entendre sur le toit, il en coulait très peu dans la maison, les bardeaux pourris et brisés emportés par le vent on les remplaçait par des neufs, il y en a des maisons dans lesquelles il pleut jusque sur les lits, quand les toits coulent à ce point et que les solives, lambourdes et poudrières sont affaiblies et rongées de toutes les pourritures autant les incendier, les enfants le disent aux vieux parents, on a vu des enfants assez jeunes mettre le feu aux maisons, devant une maison incendiée on déplore le caractère tout éphémère des biens terrestres qui rend d'autant plus précieux les biens spirituels !... certaines histoires racontées par mon père sont restées imprimées plus profondément dans ma tête, celles des médecins de campagne, par exemple, qui sortaient par tous les temps, qui allaient dans les rangs éloignés par les pires tempêtes de neige et vents hurlants, hurle le vent aux champs !... il était déchaîné et enragé furieux, cette fois, il hurlait braillait à déchirer le ciel et les toits, dans les maisons de pauvres des enfants qui ont faim braillent à déchirer les tympans, le vent c'est pas ce genre, c'est la renverse violente, la belle culbute complète, cette fois on était allé quérir le docteur Ferron au village de Saint-Barnabé pour une femme qui se tordait de douleur, c'était pas l'épouse de mon père... la femme se plaignait en couches atrocement souffrante par tout son corps, couche dure !... ça dure les effets d'un accouchement réussi !... des femmes présentes osèrent rire... voyez-vous ça ?... des rires comme seules les femmes peuvent en avoir, minces, aigus, cassants comme du verre filé... il avait bien fallu faire appel au docteur, le Ferron, bien sûr !... il y avait au village un autre médecin, le docteur Bellemare... au Coteau des Pins il avait fallu qu'il descende de la carriole immobilisée, la carriole que certains appelait berlot, le cheval pouvait plus rien faire, enlisé dans le sable blanc, le docteur avait dû chausser les raquettes, le cheval en pouvait plus, il s'enlisait toujours davantage, jusqu'aux naseaux maintenant dans les hauts bancs faits de toute la neige accumulée en travers du chemin à cet endroit, aujourd'hui même les plus puissants chasse-neige ont de la peine à se frayer un chemin après les violentes tempêtes, il râlait de tous ses poumons, le vieux cheval, dans le vent, d'épuisement, il cessa tout à fait de râler et de tirer, il trépassa là tout attelé au berlot, c'est cela mourir à la tâche, les chevaux le font, fais-le donc !... le docteur Ferron était alors jeune et robuste, il le fut pendant de longues années, la picouille trépassée dans le vent l'avait été en son temps... le docteur mourrait comme tout le monde son temps de mourir venu, tous les robustes font de même, on peut pas reprocher aux hommes de mourir puisqu'ils sont mortels de nature, on reprocha cependant à l'homme d'avoir attelé le vieux cheval par ce soir de tempête, c'est l'étalon fringant qu'aurait fallu ! il avait pas pensé, l'homme, c'était pas la tête à Papineau, il a pas laissé sa tête à tout le monde !... il y a des

gars qui veulent pas se la malmener, et le système nerveux pas
plus, il était un de ceux-là, jamais de réveil précipité, jamais de
mouvements inconsidérés, entre deux eaux dans la somnolence,
tout le temps s'il en émergeait c'était avec une grande douceur,
encore fallait-il s'assurer qu'il en était sorti, Maheu on l'appelait
mais c'était pas son vrai nom, il restait plus haut dans le rang,
dans les voisinages de mon oncle Maxime, eh bien c'est à ce
gars qu'avait échu la plus belle fille du village et du canton, celle
qui allait accoucher par temps tempétueux dont se rappellerait
longtemps le docteur Ferron, il l'avait connue adolescente et jeune
fille au village où ses parents tenaient petit commerce de rien,
la belle fille, les gars du village la suivaient comme des petits
chiens dès qu'elle sortait, leur désir les faisant souffrir de partout, c'était surtout le coeur qui leur devenait tout désordonné
et leur faisait mal dans la poitrine, y avait pas qu'eux, jusqu'aux
petits vieux rentiers qui tentaient de se faire admettre dans
sa maison quand les parents étaient pas là, elle les faisait entrer
pour mieux rire d'eux, elle leur jetait ses jupes à la figure pour
les tourmenter davantage, à la fin elle les faisait aller s'asseoir
pour y rester sur le banc mis sur la galerie dehors au soleil ...
le Maheu survint et gagna la fille sans coup férir, les gens pen-
saient qu'ils rêvaient, lui on savait pas s'il avait fait ça vraiment
éveillé, il amena la fille dans sa maison du deuxième rang où il
entreprit d'élever une famille dans la somnolence, il dormit
comme jamais auparavant, on comprit jamais comment il s'y
était pris, lui qui dormait comme une montagne ! dès le premier
soir après l'amour il s'endormit au bord du lit, roula sur le plancher, y resta jusqu'au lendemain midi, la jeune femme le regardait un peu scandalisée et stupéfaite, à cause du ronflement
énorme qui sortait de sa bouche, à midi elle l'éveilla, il aurait
dormi jusqu'au lundi ! ... quelle tête il avait ! ... le docteur avait
la sienne et une solide, il a beau être mort aujourd'hui je me
rappelle bien sa bonne tête, il commençait à prendre de l'âge
quand je fus en mesure de la remarquer ainsi que son allure,
celle du monde et des autres hommes qui s'y agitent comme des
fous, pas le Maheu ! ... le docteur Ferron c'était un homme
qu'était pris par sa profession dans le dévouement jusqu'à la
glotte, il travaillait le plus souvent à crédit, si on collectait les

sommes qui lui sont dues il pourrait revenir et mener large vie, il était bien sympathique, dynamique et de subtil bon sens, ce genre d'esprit plaisant que nous n'avons guère plus, la profondeur, l'air un peu naïf, ce qu'il était pas, la sagesse irréfutable !... on tentait même pas de la réfuter, toujours jovial il riait franc, ça le monde peut plus, faussé qu'il est de partout, moi-même j'ai jamais ri ma part, on m'a lésé dans mes droits de rire, si je le fais j'ai l'impression d'enfreindre un règlement, alors je ris de moins en moins, ma rigolade est cuite pour rester cuite, j'y peux rien, j'aurais pas voulu qu'il en soit ainsi, j'aurais pas voulu que s'installe dans mon coeur à mon insu un chagrin qui pleure comme l'adieu d'une femme chérie, s'est aussi installée dedans une vague mélancolie semblable à la désespérance de l'automne, ça sera la grande corvée de secouer tout ça, chagrin et mélancolie emmêlés l'un dans l'autre, inextricables !... l'alcool aidant il y aura des passes supportables... j'admire ceux qui sont restés rigolos, ils viennent me secouer pour me faire rire un peu, je devrais... pourquoi je rêvasse toujours ?... ils me le reprochent et tout le reste avec, surtout mes morosités, que je me rende compte un peu tout de même que la vie a ses bons moments, il faut qu'elle en ait !... pourquoi je perdrais tout, pourquoi je resterais abattu sans cesse ?... les ancêtres étaient plus résistants dans les pires épreuves, autrement on serait pas là... en ce temps-là la vie était sans doute plus supportable, les capitalistes étaient pas encore passés experts dans l'art de sucer les sueurs et le sang du monde, ils suçaient moins le sang des hommes... les sangsues c'est partout qu'il y en a maintenant !... dans les pièces sombres c'est plein de carcasses vides de mouches accrochées aux toiles d'araignées dont elles ont nourri la famille avec leur sang... va-t-on finir par vivre en lieux éclairés ?... c'est tout sombre qu'est l'avenir de mon pays, t'en as même pas de pays !... c'est tous écoeurants qu'ils sont ceux qui l'ont laissé se perdre, de même ceux qui tentent même plus d'en sauver les restes, on s'en contenterait... ils me font cracher le nom de tous les objets dits sacrés que je connaisse en sacristies, églises et basiliques oratoires, en quoi ils sont sacrés, les objets ?... on sait plus... le coeur qu'on me broie sans cesse dans la poitrine il serait pas sacré ?... mais on peut

40

pas attendre beaucoup de ceux des nôtres qui se réveillent toujours la bouche sèche comme de l'alun, dès le matin la tête leur fait mal, ils se sentent déjà courbaturés avant d'avoir rien fait qui vaille !... tout juste bons à faire des concierges, la consolation suffisante pour eux d'exhiber l'imposant trousseau de clés, on sait qu'elles n'entreront dans aucune serrure !... c'est pas eux qui nous seconderont, on veut lancer les oppresseurs au loin, on sait pas s'il y aura assez de place au loin, les lancer plus loin que loin alors !... par la fenêtre, ça suffit pas, vous allez les voir rappliquer tous par la porte !... par-dessus l'Himalaya ça suffit pas, le Tibet c'est pas assez loin, s'ils revenaient ça serait la terrible vengeance, plus rien sera sacré pour eux !... plus féroces que tous les Africains féroces et Asiatiques de même !... qu'est-ce qu'ils feraient pas ?... qu'est-ce que certains des nôtres traîtres à vendre à tout prix feraient pas pour leur vendre leur âme ?... s'ils le peuvent c'est l'âme du peuple qu'il vendront... soyez sur vos gardes, c'est plus que vol, ça !... il y eut vol, à la chapelle de Port Saint-François des objets pieux anciens ont été volés, pas surprenant, faut pas s'en étonner... « NICOLET. Une pièce ancienne d'orfèvrerie, provenant probablement du dix-huitième ou du dix-neuvième siècle, a été dérobée, hier, à la chapelle du Port Saint-François à Nicolet. Outre le ciboire de grande valeur, les voleurs ont emporté un calice appartenant au curé René Verronneau, ainsi qu'un amplificateur de son et de deux microphones »... textuel, André Provencher, « Le Nouvelliste », Trois-Rivières... un journaliste inconnu a rapporté la chose un peu différemment, il représentait un journal encore à fonder, Yves Michaud tarde, le dit journaliste nous apprit que, poursuivi de trop près, un des voleurs se retourna si brusquement qu'il fit trois tours sur lui-même avant de perdre l'équilibre et de rouler par terre, tandis qu'il se relevait il sortit de sa poche un revolver à cinq coups de modèle ancien, lentement, avec soin, il tira les cinq balles sur son poursuivant à bout portant, heureusement que c'était qu'un fantôme !... pourtant à la troisième balle il remuait encore, à la fin il retomba et resta tout à fait calme, curieusement contorsionné... les voleurs s'allèrent abîmer à la course dans les flots agités du fleuve, c'était sans doute des amphibies, pas nécessairement des bilin-

41

gues... le docteur Ferron faisait ce qu'il pouvait, j'observais comment il luttait, la mort c'est l'abîme,... ceux qu'ont pas un sens moral développé éprouvent aucune espèce de répulsion pour l'abîme, ils le goûtent... qu'on veuille les en expulser c'est la terrible colère, un vrai bordel dans la cabane, ils cassent des meubles et des vitres, chanceux s'ils mettent pas le feu à la maison, quand on a le feu au cul on raisonne pas!... on brûle, le docteur Ferron brûlait de zèle, il donnait à tous l'exemple du courage, jeunes et autres, prenez exemple sur ce docteur valeureux, jeunesse toute!... jeunesse manipulée, jeunesse aliénée, jeunesse au bord du cynisme, voyez en plus l'odyssée du docteur rouge, la couleur importe pas tant, le docteur Norman Bethune, prenez exemple sur lui, vous verrez qu'il est possible de vaincre le désespoir et de trouver un sens à sa vie pour peu qu'on sache chercher au-delà de la déception et du malheur personnel le chemin de la dignité... faut-il être rouge?... pas nécessairement, mais si ça vous dit de l'être c'est pas moi qui vous en empêchera, j'oserais pas même tenter... chacun son chemin, certains mènent à aucune dignité, c'est les plus faciles à suivre, il y a qu'à se laisser glisser... on glisse, on glisse, parfois c'est à l'abîme, il y avait des chemins pas faciles que la poudrerie rendait impraticables, le docteur Ferron là dans le chemin bloqué par la neige accumulée en hauts bancs, et l'homme et son cheval épuisé, autant dire mort, il mourut, on l'enterra qu'une fois le printemps venu, c'était rien qu'un cheval, il se passait pas de printemps sans qu'on trouve des cadavres à la fonte des neiges, les vagabonds on aurait dit qu'ils se donnaient le mot pour venir par les pires temps de l'hiver périr là, il en venait des hauts et des bas, des montagnes en arrière et des bords du grand fleuve, ils gelaient durs comme pierre, la neige les recouvrait, les pauvres... pas un riche venait geler là, ceux qu'on trouvait on explorait leurs poches, on trouvait que des allumettes sans tête, du tabac à chiquer, des boutons, des cennes noires, rien pour les identifier, on apprenait des fois un an après qui c'était... qui qu'on est, nous ici? certains pensent qu'on est que pour servir, ils servent... le docteur avait promis à l'homme qu'il laissait en arrière qu'il enverrait des gens à son secours dès qu'il atteindrait les maisons du deuxième rang, et,

téméraire, il avait coupé à travers champs, bosquets et coteaux
de pins et autres, il avait pas peur de la tempête, on sait pas s'il
faisait bien de braver ainsi les tempêtes quand elles sont dans
toutes les fureurs, il y a du monde à qui les tempêtes font pas
peur, elles restent à venir les pires !... les charlatans politiciens proposent que des palliatifs, ils offrent des aspirines, ils
les prescrivent pour une céphalée syphilitique !... les braves
qu'on connaît ont pas peur des tempêtes à venir, c'est pas des
gens ordinaires et profiteurs, c'est eux qu'il faudrait mettre au
parlement, vous avez pas vu les embûches pour les empêcher
d'y aller ?... ça serait le temps de vous désiller les yeux, de
voir comment ils planent, les pétrels des tempêtes c'est eux ! ils
planent sur les événements de leur époque, vous verrez la longueur de temps qu'ils vont rester dans l'histoire ! une longueur
de terre à traverser dans la bourrasque, sous les pins et dans les
bosquets le docteur pouvait respirer, sorti en plein champ, à la
côte en biais, en plein sur les hauteurs exposées au vent il suf-
foquait, c'était un courageux comme il s'en fait plus, il se fait
des médecins nouveau genre suiveurs tous toqués arrivistes en
quête de fortune rapide, ceux-là viennent pas s'établir à la
campagne, ici c'est le Ferron qu'on appelait de préférence au
Bellemare qui était également docteur en médecine au village,
deux médecins, aucun des deux pouvaient aspirer à la grande
fortune... la médecine était pas alors devenue une industrie
fondée sur le profit, aujourd'hui c'est comme le reste, il y a
que le profit qui compte dans cette jungle qu'est le système
capitaliste !... le Bellemare on le redoutait depuis que s'était
ébruitée l'affaire de la lignée des Bellemare qu'étaient avant des
Gélinas comme les autres, à part qu'ils faisaient plus que les
autres les matamores, il y en avait dans tous les cantons et con-
cessions Vide-Poches, Rivière aux Glaises, de la Réserve et d'ailleurs un peu partout dans le bas de la Grand-Rivière et dans le
haut de la Petite, il y en a qui sont allés vers la rivière du Loup
qu'ils traversèrent, l'aut'bord il y avait les Ferron, c'est à eux
qu'ils s'en prirent, d'autres poussèrent bien plus loin, ils s'aven-
turèrent dans des paysages nébuleux, c'était pas clair leur affaire, nébulosité croissante partout, rares et courtes périodes
ensoleillées, juste assez pour se repérer, ils se battaient alors

entre eux comme des chiens... pas étonnant que les hommes se battent entre eux, détestables enragés chiens, la race canine est répandue sur toute la terre, chez nous on a jamais gardé de chien, au seul mot mon père exprimait son dégoût, son dégoût fut un jour à son comble quand la chienne du voisin vint se laisser monter près de notre perron par un grand chien errant, immobile, les yeux globuleux elle gardait la bouche ouverte et on voyait ses crocs jaunes, exaspéré, mon père ne put retenir son pied, un formidable coup au flanc de la bête!... le voisin le lui reprocha, de derrière les granges il lui cria des injures, tu sais pas comment se font les petits des hommes et des chiens?... t'en fais pourtant... conçus dans l'impureté, les petits des chiens et des hommes peuvent pas être purs par la suite... dites-moi ce qu'est pur, dites-moi ce qu'est impur... là je viens de vous en boucher un trou!... selon certains tout trou suinte l'impureté, pourquoi ça serait que les trous?... le Créateur il a fait les bosses et les trous, si les trous sont impurs IL devait avoir des idées impures quand IL les a faits... remarquez que j'ai mis un grand I, si ça vous plaît pas mettez-en un petit et je vous dirai rien... soyez propres quand même!... quand même vous sauriez pas quel sens donner au mot, soyez propres, propres, comme pas un Cascade 40 ou 60 ne saurait l'être, un Cascade?... c'est la marque de commerce d'un chauffe-eau, chauffez fort! comme dans la chanson qui dit de chauffer fort, « chauffe, chauffe fort, ça t'apprendra, mon gros de t'engager chauffeur!... » je sais pas le reste de la chanson, je sais même pas si tout est vrai de ce qu'on disait sur le compte des ancêtres de l'autre docteur, le Bellemare, certains le savent, ils disent que c'est tout vrai, c'est pas tout propre à Yamachiche, Yamachiche voudrait dire en langue indienne la rivière boueuse, elle l'est, c'est pas si propre alors!... c'est pas de l'invention ni de la calomnie, la calomnie c'est la pire chose!... il fut un temps qu'on disait la chose vraie, à savoir que les matamores se battaient par là sans rime ni bon sens partout et à propos de tout et de rien, c'est pas la boue qui les aurait arrêtés!... les Bellemare qu'étaient des matamores depuis belle lurette se sont assagis, trop même, au point qu'on croirait qu'ils ont renié leur passé, on peut pas renier son passé comme ça!... bien entendu ça pouvait pas durer leur sauvagerie, rien ne dure, surtout ce qu'est excessif, prendre note jeunes tous portés à tous les excès, ça durera pas !... vous reviendrez au dénominateur commun, tout est commun, les jeunes fondent des communes !... ces matamores et tous ceux de la même catégorie c'est miracle qu'ils soient devenus des gens distingués, ceux que l'on connaît le sont devenus au plus haut point, trop, plus batailleurs une miette, les Ferron qu'étaient leurs ennemis s'en sont fait des amis à Louiseville et ailleurs, même aussi loin que le pays de Chacoura !... on les croit sincères, à moins qu'ils soient passés maîtres dans l'art de jouer aux faux personnages... vous croyez pas ?... je pourrais pas dire que vous allez pas au-devant d'une déception... on y va toujours... on attendait un jour ensoleillé sur un pays devenu nôtre, et voilà qu'on retombe gros Jean comme devant dans la nuit sombre et humide, dans le brouillard qui reste accroché comme une gaze molle parmi les arbres de nos maisons, brouillard stupide, stupides deux fois nos raisonnements pour un pays nôtre une fois pour toute, jamais on l'aura, on s'y laisse tout de même aller... on se contente des pets de singes, quand aux carrefours de nos vies deux voies s'ouvraient à notre générosité, et que seule l'une d'elles pouvait être choisie, on choisissait celle des pets, ça allait jusqu'à Londres la senteur de nos pets, à Londonderry les bombes explosées c'est plus fort que nos pets !... on discute de ça chaussures enlevées et doigts de pied frétillant sur un plancher tiède, attendez, ça sera pas toujours ainsi, viendra le temps où on discutera plus ferme !... les lâches seront morts, on voudra pas que revivent les lâches, bien plus on ira cracher. pisser et chier sur leurs tombes !... des tombes ils en méritaient même pas, même leurs cendres on veut plus au pays, ils ont rien fait pour le sauvegarder... les Bellemare se sentaient peut-être contraints de ressembler en quelque sorte à ceux qu'on croyait qu'ils étaient, d'avoir les goûts violents qu'on leur prêtait... ils se vantent d'être restés des forts, on le leur concède ils sont, en conséquence ils prétendent avoir droit aux fortes joies, les faibles joies pour les faibles que les fortes blesseraient, un rien de plaisir soûle certains, un peu d'éclat de plus ils peuvent pas supporter !... les Bellemare des forts, des curés forts issus

45

d'eux, beaucoup de gens d'église, aurait fallu leur dire qu'il reste qu'enfiler une soutane sur son habit c'est pas un état c'est un travesti !... ça serait miracle que les gens puissent discerner... c'est miracle que le docteur Ferron ait atteint la maison où on l'attendait, il y parvint malgré les vents contraires, il avait franchi la distance au jugé, aveuglé par la neige grésillante, coupant la joue comme vitre, suffoquant à cause de la violence du vent, c'est un vent de Pentecôte qu'on veut sur le pays entier, que les nuages se dissipent et qu'on voit clair enfin ! certains c'est un début de grimace quand ils entendent ces propos, ils mourront grimaçants... ils pensent pas, ils sont d'avis qu'il est temps qu'on nous mette à la niche, galvaudeux suants trimards revendicateurs tous tant qu'on est !... hâves penailleux pourquoi qu'on est pas encore pendus !... des invertis en plus, rares sont les stricts invertis, faudrait le leur dire, ils écouteront pas, ils écoutent que les forts, ils savent que je suis né d'une petite mère et d'un père jamais fort, je tiens quand même, je fais tous les efforts pour soulager la souffrance des miens, pour apaiser leurs chagrins, c'est ma joie de partager mes ressources, mon esprit je le tiens disponible au service de qui pourrait en avoir moins... si je me consacrais à l'église il y aurait un saint de plus au calendrier !... non, j'ai pas assez de bonté, y en a qui en ont bien plus qu'ils tirent de quelque profonde poche de leur âme et qui se renouvelle à mesure qu'ils la dépensent, mon exaspération cadre mal à côté, c'est la férocité peinte sur les visages qu'est pas belle à voir, c'est parce qu'on a trop encaissé que nos yeux jettent des flammes, j'ai pas choisi, c'est le destin qu'a choisi pour moi... j'ai pas choisi pour naître le dur hiver pourtant, je sais pas si mes père et mère ont fait des calculs, ils étaient pas forts en arithmétique, quand ils m'ont conçu je parierais qu'ils ont fait ça comme en rêve, on a beau se défendre d'être la proie des rêves... je l'étais avant de naître !... on veut s'en tenir éloigné sous prétexte que le réel est une bien meilleure sollicitation, sous prétexte que dans le quotidien ça fourmille de songes arrivés, si beaux qu'ils furent ceux arrivés on s'en contentait pas, on soupirait après ceux qui s'en venaient, c'est toujours comme ça !... en plein mois de juillet je naquis, le vingt-neuf, j'aurai cent ans en l'an 2012, d'ici là j'aurai l'oc-

casion de rendre encore bien des services à mes frères, on m'a
pas dit l'heure de ma naissance, en tout cas c'est mieux de voir
le jour en été, les jours sont longs, en hiver ils sont courts puis
c'est tempête après tempête, j'ai jamais été fort sur les sorties
d'hiver, jamais bien fort en rien, mes frère et soeurs nés de la
même mère ils sont pas forts personne, ceux et celles nés de la
deuxième épouse de mon père c'est pas mieux, c'est sans doute
dû au père qu'était pas fort jamais, on l'avait mal nourri dans
sa jeunesse, soupe aux pois et gros lard qu'il digérait pas...
dommage qu'on soit pas fort, faudra suppléer par l'astuce, dans
le monde où nous vivons il y a vraiment de place que pour les
forts, les Anglais se sont arrangés pour l'être toujours, ils mangent bien, le docteur Ferron qui me mit au monde conseillait
aux familles de se bien nourrir, on pouvait pas toujours, il voulait pas qu'on s'avoue jamais vaincus, les faibles demandaient
pas mieux que de l'entendre tenir un tel discours, les vaincus
sont des ordures, faut pas l'être !... les guerres font des vaincus,
celle de quatorze avait pas encore eu lieu, quand elle vint on
crut qu'on allait perdre le dévoué médecin qui s'en irait outre-
mer se consacrer à la rééducation des culs-de-jatte ! il le fit pas,
tout le monde s'y était mis pour l'en dissuader, fallait qu'il reste
pour guérir les nôtres de toutes leurs maladies, mettre des enfants au monde, regarder mourir les gens, il y en a qui veulent
pas qu'on les regarde mourir, il y en avait alors qui trouvaient
moyen de mourir de façon qu'on les voit pas, s'ils pouvaient
pas être seuls ils s'arrangeaient pour mourir si doucement qu'on
s'apercevait pas qu'ils mouraient, mais seulement qu'ils étaient
morts, c'est ce que je crains pour les nôtres, un jour on s'aperce-
vra qu'ils sont tous morts... le docteur aimait pas que les gens
meurent à son insu, ils resta quand même parmi nous, des docteurs anglais aidés de spécialistes monégasques se chargeraient
des culs-de-jatte là-bas, à ma naissance il était venu en bogué
ben lavé tiré par un petit cheval tout fringant, toute beauté
chevaline en miniature, on dit qu'il attacha la bête après le gros
âbe à porte, et qu'il piqua, avant d'entrer, sa jase habituelle avec
mon père, il apprenait des choses aux gens qu'avaient pas de
radio ni de journaux, cette fois il se montra triste à cause de la
mort de tel enfant d'un tel au troisième rang, un cultivateur

débrouillard et fort, un Bournival, si je me souviens bien, je peux pas me souvenir j'étais encore dans le sein de ma mère !... je sortirais bientôt... tel enfant mort... avec un tel père bien plus fort que le mien quelle vie merveilleuse il a manquée !... il y a pas d'avenir pour un enfant mort... j'ai connu le père de l'enfant mort plus tard, pour un enfant mort douze vivaient on pouvait pas mieux, la maison était remplie d'enfants rampeurs, trébuchants et piailleurs qui tiraient la queue des chats ou se mettaient ensemble pour composer une symphonie de cris stridents !... pour être juste faut dire que le tel père du troisième rang était pas seul pour accomplir son oeuvre de chair, sa femme avait un corps admirable qui constituait un réceptacle parfaitement conditionné à la fabrication des enfants, c'est vrai qu'elle avait eu le coup et la surprise de sa vie à la naissance de son premier bébé à quinze ans !... dans la suite la régularité avec laquelle elle devenait mère était plus sujet à surprise pour personne, c'est pas rien qu'au Trois que ça se passait ainsi, tous les rangs !... certains pères de dix douze enfants, oui, c'était ben correct, des fois on se demandait ce qu'ils savaient faire d'autre... d'autres enfants !... celui du Trois savait tout faire, il cultivait bien sa terre, il l'agrandissait tous les ans par de nouveaux défrichements... bravo pour celui-là, honte aux autres !... les femmes aux flancs généreux qui avaient fait des enfants plus que de raison sont vieillies maintenant, plusieurs même sont mortes, une parmi toutes tint bon, elle voulait pas mourir, on la remarquait à l'église à cause de son immobilité semblable à celle des saints dans leur niche, elle était chapeautée, vous devinez, d'un objet durable presque sinistre tout noir, sauf pour deux cerises en plâtre émaillé, mais c'est pas ça qui comptait, les observateurs remarquaient surtout les lèvres de la vieille femme qui se retroussaient pour un rictus sarcastique quand elle regardait la Vierge, s'ils avaient vu ses yeux, quels yeux !... le docteur paraissait pas pressé de venir faire dans la maison les choses à faire dans les circonstances, un pas pressé, moi je fus le plus souvent trop empressé en tout, c'est le défaut d'une qualité, toute ma vie j'eus des projets, on m'en blâma, j'arrêterais donc jamais d'en avoir ?... faut pas, c'est beaucoup pour certains, avant même de la construire, la maison existerait par

48

le projet, c'est plein de projets que je suis né... on dirait pas, certains des nôtres ont des projets concernant le salut de la nation, moi de même... c'est rien que des naufragés qu'on est!... faut être plus circonspects dans nos affirmations, disons plutôt qu'il y en a qui veulent pas se sauver de la noyade, ils vont se promener dans la vie en somnanbule, qu'on les dérange pas! ils la gagneront tant bien que mal, combien ont perdu leur vie en la gagnant courbés en comptant leurs pieds, jamais ce regard dégagé vers les sommets, les sauvages font mieux, ils regardent l'heure aux étoiles!... vivent ceux qui s'assignent un but avec ténacité, pas suivre une route, faire la sienne!... en naissant je savais pas quelle route j'aurais à me déblayer, jusqu'à ma naissance mon frère Louis était fils unique en ma famille, il y avait des filles, ça compte peu quand il s'agit de grandes cultures et d'élevage de cochons, de bestiaux tous genres, et toutes volailles piaillantes, la ferme c'est une organisation pour hommes, y a qu'à voir les vaches qui paissent aux champs et le taureau parmi elles dont les filles ont peur, il grimpe une femelle qui le sollicite, les moutons en groupe dans un coin mâchouillent de l'herbe, on voyait pas comme aujourd'hui des chevaux cogner des clous la tête appuyée contre une clôture, on les faisait travailler du matin au soir, on avait pas de ces gros tracteurs alors dans les champs, dans nos cantons il restait bien des défrichements à faire un peu partout encore, c'est pas les filles qui abattraient les gros arbres, allumeraient les gigantesques feux d'abattis et les entretiendraient, fallait les contrôler aussi, pas les laisser se propager et courir partout sur les terrains des autres, les plus courageuses tentèrent, ma mère une fois tenta, elle put pas, la hache lui tomba des mains, elle se mit à pleurer, honteuse d'avoir si peu de force, des terres entières étaient encore boisées des plus beaux bois francs, il s'en coupait alors beaucoup pour la compagnie des Forges du Saint-Maurice... alors, suivant l'usage encore respecté, on m'amena à l'église soigneusement emmitouflé dans les plus beaux linges, c'était pas la peine!... l'église était toute lugubre, pas une seule décoration, pas la moindre toilette, vous voyez le peu de cas qu'on faisait de moi dès alors!... pas étonnant qu'elle ait brûlé, l'église, pour les soins qu'on en prenait!... une construction qui ressemble à je ne sais pas quoi l'a remplacée, si l'on en croit les dernières nouvelles les gens s'y rassemblent tout de même... dès mon plus jeune âge on fit peu de cas de moi, c'est ainsi qu'il en sera le plus souvent tout âge... petit morveux j'étais, je suis, je serai... pas digne d'être baptisé en grandes pompes, on renonça pour moi à satan et à ses pompes... pas de cérémonie extravagante, c'est pour les riches ça, moi, morves à revendre j'eus plein toujours du liquide visqueux qui me découlait des narines, mouche-toué c'est ça qu'il fallait... c'est pas le monseigneur qui va te baptiser, crains pas!... mouche-toué quand même, les chevaux atteints de la morve fallait y voir, les soigner sans retard, c'est une maladie contagieuse, fallait pas laisser mourir les chevaux maintenant qu'ils avaient remplacé les boeufs pour les durs travaux de la ferme et ceux plus durs encore dans les chantiers, il y avait bien assez des bébés qui mouraient!... on les portait au cimetière dans une boîte ou un petit cercueil pour ceux qui pouvaient en payer un... après être passé par l'église où un chantre entonnait des psaumes, des cantiques, des motets si on payait assez, la mort m'épargna, c'est miracle!... la mort s'est pas penchée sur moi, j'en valais sans doute pas la peine, j'admets sans peine que j'eus de la peine d'être ignoré, à preuve mes pleurs qui s'arrêtèrent pas pendant près de deux ans, ma mère s'était pourtant donné bien de la peine pour me mettre au monde, ma conception on m'en a jamais parlé, elle se fit sans doute sans peine, j'ai sûrement été conçu de quelque façon, le Saint-Esprit se mêle de ces choses-là... bébé j'étais pas fort, on voulut me faire baptiser sans tarder en cas que je meure, les autres bébés mouraient comme des mouches, ils mouraient comme ça tout seuls sans qu'on les aide en aucune façon... le baptême c'est d'être marqué d'un caractère indélébile, dommage pour ceux qui mouraient pas marqués, moi j'ai été marqué de toutes les façons imaginables au cours de mes ans jeunes et autres, sensible comme je suis c'est tous les jours encore qu'elles apparaissent les nouvelles marques, vous avez vu les nombreuses marques de voitures?... la marque là dont il est question c'est d'imprimer dans l'âme la marque ineffaçable, à l'épreuve du calcium, la marque ineffaçable de l'enfant de Dieu en mon âme immortelle, le corps devrait l'être aussi... d'ailleurs il y a peut-être que le corps, on a jamais su au juste, le reste c'est peut-être que des mots, vêtu de tant de mots il pourrait hiverner sans dommage aucun au pôle nord, au pôle sud il fait aussi froid... pourquoi mon corps mourrait pour laisser mon âme continuer seule son chemin comme une âme en peine qui pourrait faire pleurer le bon Dieu, je sais pas s'il peut, on dit ça dans les chansons... là là... tout à coup une âme seule ça serait que du vent, le vent il a beau frémir c'est rien que du vent quand même, « voici le vent frémir en la flore du soir », c'est des mots du poète, à l'heure où les parfums retrouvent leurs pouvoirs, les parfums émanent des choses, une âme ça sent rien, inodore, incolore par surcroît, j'ai jamais compris ce qu'on voulait dire quand on affirmait que quelqu'un était mort en odeur de sainteté, la sainteté je sais pas ce que ça sent... je demande, je finirai jamais de demander des choses, on finira jamais de me répondre des choses insensées et toutes abracadabrantes, et ridicules les unes plus que les autres, je trouve rien de sensé dans les explications qu'on me donne, toujours les mêmes naïvetés qui reviennent !... on explique jamais bien le pourquoi de la mort à la satisfaction du monde, dans le règne vivant pourquoi qu'ils le disent pas franchement à l'église et ailleurs que la mort est une absurdité ?... la mort c'est pas la chose absurde ajoutée à l'oeuvre de vie ?... c'était pas la peine de bien commencer l'oeuvre si on voyait pas jour de la finir sans la gâcher irémédiablement... il aurait perdu la mémoire en vieillissant, les vieux c'est ça, il aurait oublié le plan, les morts on dit d'eux qu'ils sont d'heureuse mémoire, ils attendraient le jugement, tout d'un coup qu'ils attendraient tout le temps et toute l'éternité, autant attendre la nuit dont parle le poète, qui se condense ainsi qu'un désespoir... avant la nuit les poètes se lassent pas de regarder l'occident meurtri et ses blessures béantes... nous au pays québécois on attend une amélioration à notre sort avant la nuit, une fois la nuit venue il nous restera plus qu'à lécher nos plaies... faut pas tout attendre des autres, on pourrait s'améliorer et notre sort avec, on a pas mémoire d'avoir tenté l'effort suprême... mémoire, mémoire de Dieu, celle des hommes, on a mémoire que nos

51

ancêtres vinrent sur les bords du Saint-Laurent faire oeuvre de vie, ils admettraient pas qu'on se laisse mourir comme ça !... et puis si on décide de vivre c'est en plein qu'il faut le faire, pas se contenter d'un folklore qui tourne à faux... que Dieu perde la mémoire ça se comprend pas, que l'homme perde la mémoire ça se comprend, ils en ont peur comme d'un puits dans lequel ils n'osent descendre pour calfeutrer les fissures, l'oeuvre de vie fut peut-être gâtée par accident, une divine perte de mémoire, une maladresse, si c'était celle d'un homme on la dirait impardonnable, une maladresse dont nous payons les pots cassés... si l'oeuvre a été gâtée par une intervention étrangère ou diabolique ça change rien à notre sort, paraîtrait que tout était prévu dans la nature pour qu'un organisme vivant, une fois parvenu à son point de parfait développement, s'y maintienne d'une façon définitive, ça m'a marqué de constater que le sort de l'homme était faussé irrémédiablement, bien différemment de la marque dite indélébile de mon baptême sur mon âme immortelle... le monseigneur Duguay d'alors, alors prêtre-curé-monseigneur tout puissant, il régnait sur la paroisse en maître, certains en avaient peur à pisser dans leur culotte, va pour la pisse c'est la merde qui pue ! il voulut pas me baptiser qu'on dit, le digne homme, c'était trop lui demander paraît-il, il l'expliquait à mon père tout suavement, tout doux, dans l'évangile on parle des douces toisons des moutons sous lesquelles il y a des loups, je suis pas mal intentionné en disant ça, c'est un simple rappel... mon père écouta pas plus longtemps ses explications, il sortit du presbytère sans qu'il s'en aperçoive, seul, le monseigneur continuait à expliquer à n'en plus finir, il se faisait une conférence à lui tout seul, on pouvait l'entendre par la porte laissée entrouverte par mon père en s'esquivant, il a bien tenu une heure paraît-il, remonté davantage il aurait bien pu tenir quatre heures ! moi, ça me faisait rien, pendant que le Bérard, vicaire, me baptisait au fond de la sacristie, tout au fond étaient les fonds dits baptismaux, donc c'est pas le monseigneur qui mettrait sa marque sur une toute petite affaire aussi peu consistante que j'en étais une, marqué ou pas je fus jamais consistant, qu'est-ce qu'un homme devant toi Seigneur ?... le roi David lui-même admettait qu'il était pas consistant devant son Dieu, le monseigneur lui c'était mieux, il était ferme et consistant, tous les dons ! ... ceux du Saint-Esprit avec, tous ceux énumérés dans le petit catéchisme, on disait que c'était un saint homme, tout autant que le bon Père Frédéric qui venait souvent lui rendre visite, je sais pas s'il m'aurait baptisé, les saints font pas les petites besognes, aucun d'eux baptiserait les petits cochons ! ... je valais pourtant pas mieux que l'un d'eux, à preuve on m'aurait offert à un habitant il m'aurait pas pris, on lui aurait offert au même habitant un petit des cochons il l'aurait pris avec empressement, il lui aurait fait un bon nid de paille dans un coin de l'étable, voyez donc toute la différence ! ... la cochonne et reconnue telle, la différence ! ... quand même, le monseigneur, les petits des hommes et des femmes ordinaires il laissait à d'autres le soin de les baptiser, que ceux qui avaient quelque chose à redire s'abstiennent ! ... le vicaire Bérard me baptisa, c'est écrit dans les grands registres, le monseigneur pour ça je l'aime pas, je l'aime donc pas ! ... je l'aimai pas vivant, mort comme tout le monde et n'importe qui je l'aimerai pas plus, on dit qu'il mourut comme un saint en odeur de sainteté ... moi je sens rien de cette odeur ! ... j'en ai vu mourir comme des saints, c'est les autres qui disaient ça, moi j'accepte pas l'expression ... ceux qui sont morts soûls, morts enivrés, c'était déplaisant cette senteur de gin qui cessait pas de remonter ... c'était pas des odeurs de sainteté ... le monseigneur qu'est mort c'est pas que je veuille l'accabler, à chacun suffit son accablement, d'après les normes établies et alors acceptées c'est presque vrai que c'était un saint, il aura sa statue ! ... les statues des saints on en a abusé jusqu'à l'idolâtrie, et voilà que maintenant c'est à pleine porte qu'on les sort des églises ! ... le monseigneur je l'accablai pas de son vivant, je l'accablerai pas maintenant qu'il est mort, à son crédit faut admettre qu'il faisait tout son possible pour vendre des illusions au monde, au point que je parierais qu'il en gardait aucune pour lui, pas même celle d'être immortel ... L'Eden éternel ! ... il le promettait à tour de bras, dites-moi pas qu'il est perdu pour tout le monde et pour lui ! ... s'il fallait ! ... c'est la mort dans l'âme qu'il serait mort ! ... des femmes soupirent après l'Eden perdu, moi je veux parler de l'autre quelque part dont des gens disent

avoir la nostalgie... il y aurait peut-être possibilité de faire de
la terre un nouvel Eden puisque l'autre paraît être irrémédiablement perdu à tout jamais, ah oui, et ça sera vraiment ça quand
tous les hommes s'aimeront pour vrai, nous, alors, serons morts,
mon frère!... on le verra pas, l'autre non plus, on en verra
aucun... et puis, soyons sérieux tous, tous on pense au fond,
nous l'Éden, hein!... s'il exista jamais on sait pas si c'était
tellement formidable!... parce que j'ai refusé d'acheter toutes
les illusions que vendait le monseigneur Duguay on m'a accusé
d'être infidèle aux promesses de mon baptême, j'en fis aucune
moi!... et puis en fait, avez-vous remarqué sur les trottoirs ou
dans les maisons, dans les églises et toutes salles, que l'infidélité
on interprète ça n'importe comment?... on accuse d'infidélité
tous les gens qui sont fidèles à des idées qui sont pas les
nôtres... le monseigneur qui me baptisa pas, vendeur d'illusions, je sais pas si c'est parent avec le Raoul qui écrit son nom
tout à l'envers, c'est son affaire, il a sans doute ses raisons de
le faire, Albert Camus refusa obstinément la réimpression de
l'Envers et l'Endroit, non pas parce qu'il reniait rien de ce qui
était exprimé dans ses écrits, mais leur forme lui paraissait
maladroite, le Duguay qui parle de toutes les façons qui sont
bien drôles même si on comprend rien on rit quand même...
on m'a rapporté que quand il s'y met avec le Vigneault il le bat
même en drôleries... le monseigneur qui me baptisa pas pourrait être son grand-père, le prince du Bénévent et prince de
Talleyrand-Périgord en plus, en même temps seigneur évêque
d'Autun, il eut des enfants, les femmes qu'il engrossa les mirent
au monde, bien sûr que cela pouvait être, me souffla à l'oreille
un jour une femme qui disait m'aimer, elle avait dit ça à mi-voix
avec plein de sexe dans l'intonation, il y a rien de pire pour
bouleverser un homme qui a la conviction d'être aimé de peu
de monde, il y en a qui se plaignent qu'on les aime trop, j'ai
jamais eu à me plaindre de ce côté-là, ceux qui sont trop aimés,
comme ils ne s'aiment pas tant, ils concluent à la stupidité de
ceux qui les aiment, à leur malignité même... j'ai jamais
soigné mon accoutrement, c'est peut-être pour ça qu'on m'aime
pas, ça les fait même rire, en tout cas si c'est mes habits qui les
font rire ils pourraient penser avec un peu d'effort de tête que

54

je pourrais pas en avoir du tout... Talleyrand-Périgord évêque d'Autun valait bien sous certains rapports le monseigneur Duguay de Saint-Barnabé, qu'il soit ou pas dans la parenté du Raoul, c'est-y lui et son ami le Léviathan qui partirent pour l'Abitibi, ce pays qu'on voit pas d'ici, on se rend en Haute Mauricie on voit pas encore!... c'est tous les arbres de la grande forêt qui empêchent de voir, eux ont vu!... autant m'en aller dans le bois avec le Raoul, où il y a tant d'arbres qu'on voit qu'eux! j'irais quand même il me faudrait «fendre le coeur des âbes,» le monseigneur qui me confirma dans la foi il me fendit pas la joue, c'était qu'un soufflet, à une mienne cousine le monseigneur de Saint-Barnabé on dit qu'il fendit presque la joue d'une claque autrement forte qui lui fendit le coeur en même temps, la cicatrice demeure, elle a couru vite chez elle, elle a piqué une de ces crises effroyables, c'est pas les calmants ordinaires qu'aurait fallu, pas les usuels, des piqûres!... de l'opium en sirop!... il l'avait claquée, la cousine, parce qu'il la trouvait trop décolletée pour s'approcher de la sainte table, s'approche pas qui veut de la table des riches! Lazare se tenait dessous pour les miettes... va t'habiller!... le bruit courut qu'il voulut la faire excommunier, c'était pas la peine, elle l'a fait d'elle-même, il y en a tant de nos jours qui l'ont fait ou projettent de le faire, c'est pas que des rumeurs, pas que des bruits insolites... possible... il y en a tant partout des bruits dans le monde, des bruits de guerre, ma tête est une caisse de résonnance qui amplifie tous les bruits, quand je parle après avoir écouté les bruits tout autour je reconnais plus ma voix qui est devenue comme fêlée... elle alla s'habiller, la cousine, elle s'habille encore, c'est son affaire, le monseigneur s'habillait bien en grand apparat, grande tenue de campagne, triple manteau, qui l'en blâmerait? le pape a bien triple chapeau!... effet cinéma!... il faisait grand seigneur dans sa prestance qu'était belle, il fallait convenir qu'il avait ses raisons, le coeur a ses raisons, des gens sans coeur veulent toujours avoir raison!... quand il parlait fallait convenir qu'il avait raison, pas le contrarier, attendre qu'il ait changé d'avis... à mon baptême mes parrain et marraine, l'oncle Elzéar et la tante Marie-Anne, furent d'avis de me nommer Joseph tout court, toqués dans leur idée qu'un nom c'était assez, il y avait de quoi rire de leur entêtement, ouah, ouah!... encore ouah, ouah!... ils se rendaient pas compte que des Joseph c'est plein partout!... il y a celui de l'Oratoire du Frère André, il y a celui supplanté par le Saint-Esprit... et tous les autres Ti-Joseph-ci, Ti-Joseph-ça... ils voulaient que ce seul nom, un nom c'est tant qu'y faut!... d'accord, mais pas toujours des Joseph, autant pas en avoir!... on les fit en rajouter, ils me nommèrent donc Joseph-Bruno-Florido, on m'appelle Bruno, tout le monde m'appelle Bruno, je dois m'appeler Bruno, tout le monde de même, les biens portants et les autres de même, ceux les foies en marmelade, ceux les méninges en loques, heureusement que j'en prends qu'un des trois, autrement vous imaginez les complications enchevêtrées?... les balourdises, vous seriez hébétés tous, tous tous!... Bruno donc seul, je fus seul souvent, c'est au milieu des grandes foules que je me suis senti seul le plus... il y eut Bruno Mussolini fils de Benito qui fut pas tant benoît qu'on dit, il fut duce dictateur, ils furent contents à la fin les parrain et marraine de la trouvaille, depuis j'ai remarqué aucune différence entre les oncles qui avaient été parrains et les autres qui l'avaient pas été... ils sont tous préoccupés en premier de leur propre progéniture, tante Marie-Anne mourut peu d'années après ma naissance, c'est pas d'avoir été marraine, elle était faible de constitution comme ma mère sa soeur, elles sont mortes toutes les deux jeunes fleurs fanées avant de s'être pleinement épanouies, petites fragilités qui passez... qui passe pas?... les hommes et leurs oeuvres de même, certains on souhaite... plus vite que je passe moi et mes oeuvres de chair et autres!... fallait qu'ils se retiennent pour pas tout me prendre, ils me tolèrent le cou tout juste en disant que c'est encore joliment de trop, ils beuglent qu'ils seront heureux quand tout de moi sera disparu, de même pour ceux de mon espèce, tous les extrêmes dans la haine contre nous!... faudrait plus encore! que personne s'avise de venir nous dépanner, ceux qui feront, leur mansuétude sera prise plutôt mal en hauts lieux cléricaux, sociaux et parlementaires... nous qu'avons la prétention d'édifier un pays qu'on veut pas, vous pouvez pas imaginer comment qu'on jase contre nous dans toutes les loges,

les sacristies, et les librairies, dans les cathédrales et les souter-
rains vous avez pas fini d'en entendre !... et foutrement dans
l'harmonie des haines, tous blablas en déjeuners de grand
apparat ! qu'on se fasse pas d'illusion ce qu'ils veulent c'est nos
ventres en l'air, poissons morts à la dérive tous !... jusqu'à ce
jour on les a assez dérangés dans leurs plans et horaires, ils
avaient trouvé la vraie méthode de vivre vieux, rien foutre, bien
jouir, et mépriser, ça oui !... je savais pas tout ça quand j'étais
jeune, j'apprends en vieillissant, avec des âmes dévouées j'ai
voulu mettre sur pied l'idéal organisme et le fort bataillon dans
lesquels oeuvrer pour sauver ce qu'il reste de la race, faut pas
la laisser dépérir comme ça !... tout de suite l'opposition partout démoniaque enragée, j'eus l'imprudence de leur faire des
pieds de nez, tout de suite vous avez vu les gestes qu'ils ont
faits au-dessous de la ceinture !... compromise d'avance l'administration qu'on veut instaurer méticuleuse, philosophique,
accélérée... barbares qu'on nous qualifie, gens à égorger sans
tarder, le moins qu'on pourrait faire serait de nous envoyer aux
pyramides, aux galères tous !... si ma mère m'entendait, elle
qu'avait tant de respect pour les ordres sacrés, elle qu'est passée
comme une ombre sur la terre, je veux pas que toute la race
passe ainsi comme une ombre !... les nôtres sont passés comme
des ombres dans des paysages lugubres... ils sont plus que les
ombres d'eux-mêmes... on m'a rapporté que ma mère mourut
comme une sainte, je prends leur parole, je le crois, surtout si
on fait des synonymes des mots résignation et sainteté, alors
c'est des saints partout qu'on aurait !... sa courte vie a été
celle d'une sainte ou d'une résignée, d'une résignée surtout !
qui a dit que c'était un devoir absolu d'être saint ?... nous,
est-ce que ça serait devenu un devoir absolu d'être résignés à
tout ?... mon père put pas se résigner à se passer de femme,
il se remaria à peine six mois après la mort de notre mère, il
était pas seul à faire ça, l'empressement était admis sinon de
règle en la matière, tous les veufs faisaient ça, il y en a qui
font ça sur le coin de la table, ça va bien quand la table a pas
de roulettes !... quand on a peine à faire vivre les enfants nés
d'une première femme on comprend pas bien qu'on s'empresse
tant d'en prendre une secondaire pour donner des demi-frères

et demi-soeurs encore en plein aux petits malheureux que nous étions, qu'ils sont... pauvre papa à moi et tous autres pauvres papas, personne leur avait dit que générer un être est un acte d'une suprême importance, on peut douter que ce soit d'une telle importance, quand on sait le peu de cas qu'on fait de nous ici en nord-Amérique, des petits chiens, pas plus! générer des chiens c'est commun!... j'ai fait de longues marches vers les lieux élevés, en chemin, épuisé, j'ai dû dormir sur les aiguilles de pin, le soleil m'éveillait en m'éblouissant, des fourmis se promenaient sur moi, des geais à plumes bleues assis en face de moi me lançaient à la tête des invectives choisies, c'est pas en restant vautré là que j'atteindrais les hauteurs... puis la guerre vint... la guerre vint, la quatorze par la faute des richards anglais et leurs pareils pas anglais dans le but d'accroître davantage leur richesse, ils s'employèrent des deux côtés de la barrière à persuader des millions d'hommes d'attaquer et de tuer d'autres millions d'hommes aussi pauvres qu'eux, s'ils avaient deviné les manigances, les pauvres hommes, ils auraient refusé et la guerre serait devenue impossible... ça serait vraiment trop beau, ils peuvent rien, ils peuvent même pas porter plainte, à qui ils le feraient?... personne les écoute, alors, je vous le demande, à qui les pauvres peuvent-ils porter plainte?... et contre quoi?... quand on a plus le droit de porter plainte, imaginez ce qu'ils peuvent nous mettre!... on a tenté une fois d'aller chez les riches par delà la montagne, ils nous ouvrirent pas, ils se mirent aux fenêtres, tous gros bonnets, quatre ou plus par fenêtre pour rire de nous, ce qu'ils auraient pu nous lancer, on était juste dessous! c'est toujours comme ça qu'on fut!... qu'on compte aussi ce qu'on attrapa!... c'est pas tant pire qu'on dit leur sadisme, c'est rien que pour vous faire hurler plus ou moins et eux, se marrer de vos contorsions... c'est partout qu'on abuse des bons hommes, qu'on les envoie à la guerre, faudrait plus que j'en parle, ils vont dire, les gros cochons, que je suis remonté comme un petit maigre affamé tout nerfs et rien d'autre... est pas gros cochon qui veut!... il y en a qui pensent qu'à dormir vautrés, les jours de l'homme sont consacrés presque à moitié à dormir et le reste à veiller, pour certains qui voudraient lutter pour la bonne cause plein temps on s'arrangera pour que leurs années se passent moitié en prison moitié en dehors, les années hors de prison ils devront les employer doublement bien pour le mieux-être des nôtres qui sont que des petits cochons, on en a beaucoup des maigres qui le resteront toujours, ils restent le ventre collé au dos de naissance à trépas, c'est l'entérite permanente des porcs, c'est la colibacillose, ça commence porcelet, ceux qui connaissent et font usage des antibiotiques s'en tirent, il y a le médicament qui se présente sous forme orale, d'administration facile, c'est pas les gueules qui manquent !... c'est facile à administrer et précis grâce à la pompe doseuse... les petits cochons, il y a du bon d'être petits, ils vont se rouler dans la fange comme les gros mais eux c'est à peine s'il y paraît après, vous avez pas vu le cratère quand les gros s'en vont ? c'est pas des bateaux, les bateaux l'eau se referme derrière... les riches pour parler de guerre et d'argent ils avaient choisi la belle place sous les arbres murmurants... écoutez pas le murmure des arbres qui les ont vus se vautrer à leur pied !... le sommet de ces arbres murmure d'une voix sourde dans le vent les bonnes fortunes pour eux et les morts pour nous, bien vain ça serait d'écouter ces propos déprimants, chuchotements impies !... allez vous réconforter auprès des amis, c'est tous amis qu'il faut être pour retrouver ensemble la chaleur dorée, que votre coeur rayonne à nouveau comme une brûlante saucisse aux piments !... dressons les plans de leurs enterrements, les gros porcins, c'est dans les profonds cratères !... ils tardent à mourir, on comprend, eux, tous les médicaments mis à contribution pour leur prolonger le souffle, j'en ai le souffle coupé de constater comment ils s'en tirent... ils devraient pourtant être un peu inquiets ceux qui malmènent les petits peuples et font les guerres... tous n'allè-rent pas à la guerre, ici dans les cantons certains se jetèrent à la rivière du Loup plutôt, à Montréal la mode était aux injections pernicieuses, à Ottawa un gars monta jusqu'au cadran de la tour de la Paix et se jeta dans le vide, sa tête fit une jolie méduse rouge sur les marches du Parlement !... les Anglais disent que ce sont des lâches ceux qui vont pas à la guerre, ils profitaient de toutes les occasions pour nous répartir généreu-sement des imprécations choisies et des quolibets inventés exprès, fallait pas s'alarmer pour autant, on commença à le faire que le jour où on trouva chez nous aux confins de la paroisse, à l'orée d'un bois, le corps d'un gars qui gisait la face tournée vers le soleil, on put jamais s'expliquer pourquoi il était nu... pénible à voir fut le chagrin du père, incroyable comme il nous connaît, le chagrin!... installé parmi nous peut-être qu'il s'en ira plus jamais... la tête du gars était pliée contre son épaule à un angle invraisemblable, au point qu'elle paraissait indépendante de son corps, on accusa la police militaire... mon oncle Omer et d'autres gars qui voulaient pas aller à la guerre s'en allèrent plus loin dans les bois, on alla les conduire jusque sur le chemin de la rivière aux Écorces, à Saint-Alexis-des-Monts, j'étais dans la voiture, je les vis s'engager dans la pente raide à droite du chemin, courbés ils devaient lutter pour grimper en s'aidant de leurs mains pour progresser dans l'ascension de la muraille de rochers à pic où s'attachaient des végétations rampantes, des plantes aux griffes acérées déchirèrent leurs mains, ce fut le souffle court et tout épuisés qu'ils atteignirent la crête, ils se rendraient à la tour des garde-feux, le gardien était un ami, par un long portage ils s'en iraient jusqu'au lac Livernoche où ils resteraient dans un vieux camp de bûcherons abandonné depuis des années... là ils seraient pas inquiétés, c'est les richards anglais et les collabos qui devraient bien s'inquiéter, il y en a qui s'inquiètent, c'est pas sans raison, les collabos aussi ont toutes les raisons de craindre, on a les noms!... sous tous les méridiens possibles il y en a eu... toutes couleurs de peau, derrière tous les rideaux fer et bambous, hommes de toutes sectes et races sont contre les guerres, ils y vont quand même, c'est à cause des cuistres, les cuistres qui les envoient à la guerre, vous croiriez pas la manière qu'ils leur expliquent la nécessité de se faire tuer!... toute beauté! messieurs dames, vous vous y laisseriez prendre!... toutes péroraisons mises à contribution, tout l'abondant bagage à déballer, tous doctes ignares, qui déconne plus est gagnant! on a vu ça dans toutes les élections cochonnes, fanatisés qu'ils rendent les gens, fascinés tous même, vous voyez des sottises qui dépassent la lune!... elles prennent bien, on en redemande!... et pas que la lune! c'est dans les galaxies qu'il faudrait aller, de l'une à l'autre voyager... qui s'oppose?... vous êtes pas d'avis?... bien sûr qu'on était d'avis!... qu'on soit pas changerait rien... parce que c'était la guerre et qu'il était pas en notre pouvoir de l'arrêter, qu'on pouvait pas même s'opposer à la loi qui ordonnait aux nôtres d'aller outre-mer se faire tuer, on trouva moyen de la contourner un peu, le monseigneur de Saint-Barnabé prévint mon père que s'il s'agrandissait pas de terre il irait à la guerre, il le fit, lui, aller creuser des tranchées dans les vieux pays ça lui disait rien, il détestait le pelletage par-dessus tout, moi de même... dites-moi, quelle beauté pourrait-on trouver dans la trajectoire d'une pelle en mouvement?... j'en trouvais pas, peut-être que je faisais pas l'effort voulu pour en trouver, quand viennent les guerres c'est l'effort total qu'on exige... mon père vendit la petite terre qui nous permettait de vivoter, à St-Barnabé, il en acheta une grande à Saint-Paulin, le curé-monseigneur l'avait fait venir exprès au presbytère pour le lui conseiller, il fut bien d'avis, avec les curés quands ils conseillent c'est le moment d'avoir l'air convaincu, c'est le moment de bien être d'accord en tous points, certains toute soumission, ils feraient le tour de la terre au pas de gymnastique s'ils ordonnaient... c'est plus ça maintenant, certains veulent plus, ils se sont renseignés, ils écoutent plus n'importe qui n'importe quoi... pourquoi qu'ils écouteraient toujours tout le monde qui s'arroge des droits de commander?... on se soumettrait plus aussi facilement, on se faisait des signes les uns aux autres entre nous pour s'encourager à la résistance... fallait tirer les hésitants par la manche, fallait en tirer des fossés où ils gisaient découragés dans leurs propres ordures, ce qui exigeait des coeurs dévoués et des estomacs résistants... fallait user de prudence, il y a de par le monde des sentiers plein d'éclats de verre, on est d'avis qu'il faut pas marcher dessus même si on nous l'ordonne, d'autres y a rien qu'ils craignent autant que les planches à clous!... quand j'étais soumis en tout, je me suis percé la plante des pieds! j'écoutais tout, ils m'envoyaient me promener dans la nuit froide et indifférente que toute chaleur avait quittée, elle était pleine de tous les avertissements, tu es seul, tu seras seul dans ta nuit sur la terre parmi tes semblables de qui tu dois attendre nul réconfort, cette voix m'effrayait, je courais sans but, je croyais atteindre de longues dunes accroupies dans le noir comme des chiens fatigués au repos, je me plaignais de ma solitude, les vagues comme d'une musique accompagnaient ma plainte en s'exerçant mollement à battre le sable avec des petits sifflements... mon père acheta la grande terre en s'endettant et endettant du même coup la génération à venir avec, les gens qui en parlaient avaient dans la voix des petits sifflements railleurs, pour qui se prenait-il pour s'endetter ainsi?... et le travail que ça demanderait de la part de nous tous!... pas de repos, à peine le dimanche, il aurait pas travaillé le dimanche, mon père, de crainte de voir sa terre se changer en cailloux ronds comme c'est arrivé à un gars de Rigaud... à la fin c'était lassant tant travailler, mon père se décourageait, ma mère avec et nous tous, il secouait la tête en expliquant qu'il aurait pas dû acheter cette terre, le découragement je connus ça jeune, c'est tout le monde qu'est surchargé, c'est lassant... le vieux Jéhovah lui-même, le septième jour en se reposant constata à quel point son monde était lassant... s'en aller à Saint-Paulin ce fut pour nous le grand dérangement, le grand désarroi familial pour tous, pour moi l'arrivée dans cette paroisse inconnue fut une griffade à mon âme, les autres de la famille à la leur aussi, on se sentait comme en pays étranger... dans les premiers temps on fut pas bien vus des gens de la place, là alors je vous l'affirme ils étaient arrogants envers les étrangers! ils en ont rabattu et tant mieux pour eux et pour tous, ils sont restés simplement prétentieux un petit peu pour la plupart, certains beaucoup encore... leur prétention ils pourraient se la fourrer quelque part à la chaleur de peur d'un rhume... si la circulation en sens inverse à la sortie est pas trop encombrée!... qu'ils choisissent pas l'heure de pointe!... il y a donc des maladrettes!... la maladresse au cul et partout... dans les premiers temps quand on entrait quelque part au village, à l'épicerie ou au magasin général, les gens s'arrêtaient pile d'acheter, nous à pas voir mal habillés comme on était!... la déroute des femmes acheteuses, à part les effrontées, ceux qui voyaient riaient de les voir jambes au cou s'en aller, jupe par-dessus la tête afin que personne les reconnaisse, fallait pas que les gens se mettent à dire qu'elles étaient entrées en contact

62

avec nous, pestes, véroles, nous ! nous faisons la terreur et le
vide admirablement, vous aviez qu'à voir comment ça décam-
pait ! ... la peur, la panique, la peur c'est rien de nouveau, on
vivra pas assez longtemps pour connaître la suite de la peur du
monde, mais la nôtre dépasse la moyenne ! ... une femme
apeurée et courante folle tomba sur le trottoir qu'était alors en
bois, un madrier était cassé et le bout qui relevait lui entra
dans le ventre, affreuses douleurs des boyaux en compote pour
un mois ! ... quand on allait à la forge avec nos chevaux c'était
pas mieux, fallait bien qu'on les fasse ferrer nos chevaux ! faut
dire qu'il y avait là que des hommes francs, ils se sont vite
apprivoisés, c'est à cause de nos chevaux, pour ça on peut dire
qu'on avait fait l'acquisition de beaux jouaux pour cultiver
la grande terre achetée, que surent apprécier au premier coup
d'oeil les villageois, les autres habitants et surtout les hommes
de chantier, des fins connaisseurs en la matière, fallait leur
donner ce crédit ... on les avait crus anthropophages, on le
crut plus, c'est vrai qu'on les avait jamais vus dîner ! ... ceux
des chantiers sont faits aux binnes et au gros lard, mélasse avec,
pas anthropophages pour un sou, végétariens plutôt ! ... quand
même on pensait que ça aurait été rigolo les voir découper
menu les cuisses fortes en graisse et gros muscles des femmes ! ... on a pas vu, on verra pas, pas même les rognons, pas
même les bouts de foie, je raconte pour le plaisir, ceux dont je
parle trouvent pas plaisir à m'entendre, c'est pas des choses à
dire d'honnêtes gens, ils m'en veulent, des années après on
m'adresse des lettres affreuses, pleines des pires horribles menaces de personnes qu'étaient pas même nées alors, les enfants
de leurs enfants m'en voudront encore, parce que je parlai des
cuisses de leurs mères, les plus agressives des lettres sont pas
signées, je devine qui, moi plus jamais boire le bon café en
paix, ils verront à ce que j'aie pas autre chose que de l'avoine
grillée ! ... ça serait encore trop ! ... suivaient les avanies
inimaginables, tous les torrents réunis d'outrages ! ... que j'en
meure pas ça serait le miracle inouï pour un celui qui croit pas
au miracle ! j'en mourrai pas mais j'en serai fortement ébranlé,
c'est dur endiguer un tel courant ! ... j'ai décidé d'aller lire
au grenier, caché, montons ! ... toutes craintes, quatre à quatre

les marches de l'escalier branlant, je dormirai pas de la nuit, je pourrai pas lire à la noirceur... je discerne que des figures de haine dans le noir, des malades mentaux maniaques, tous élevés dans la religion... la belle affaire!... pourquoi le monde est sans amour?... c'est pas que dans cette paroisse que les hommes se voient d'un mauvais oeil, le mauvais oeil partout, il y a pas que l'oeil de Dieu pour suivre les Caïns à l'oeil... je devrais pas dire tout ce qui va pas dans le coeur des hommes, je constate quand même que les uns envers les autres, la plupart du temps et dans la plupart des places, il y a tant de gens qui ont pas d'amour envers le prochain, qui est le prochain? ils ont pas de respect pour la dignité humaine, du respect ils en ont moins qu'ils en ont pour leur propre merde, mal nés, mal créés, mal bâtis seraient les hommes? que voulez-vous qu'on y fasse?... j'en sais rien, si on les faisait renaître seraient-ils moins bêtes?... le grand Nicodème savait pas comment s'y prendre, je parle pas de l'habitant de ce nom qui tenait feu et lieu au bout du rang Robine, à Saint-Paulin, je parle de celui qui alla voir le Christ en secret la nuit, au pays des Juifs, pourquoi il voulait pas renaître?... le Christ avait beau lui expliquer qu'il le fallait, rien à faire!... moi-même je blâme pas Nicodème, je m'interroge sur le bien qu'on anticipe d'une renaissance, faudrait commencer par mourir, personne veut mourir à cause du mal qu'on dit de la mort!... c'est tout que ouï-dire et qu'en-dira-t-on qu'en a-t-on dit?... on a dit d'y penser le moins possible, ils disent de pas penser à la mort, ils pensent qu'à faire l'amour, d'accord, mais faut être bien vivant pour ce faire, j'ai rien contre ça, c'est bien mieux que faire la guerre!... vous êtes pas d'avis?... lancer des fleurs à tous les vents c'est bien mieux que de la merde... vous êtes d'avis?... personne veut mourir, personne est mort encore, la preuve c'est qu'ils ont encore envie de faire l'amour! les morts ont plus ce genre d'envie-là, s'il fallait!... imaginez ce qui se passerait sous terre aux cimetières du monde, c'est la neige qui fondrait!... les gens lucides font que rire des affaires sous terre, les envies sous terre ça existe pas!... ils parviendraient pas, les morts, sous le limon, à jouir pleinement du moment présent, qu'ils soient des Anglais amalgamés ou des christianisés de qualité, tous, à supposer qu'ils goûteraient un peu de la joie espérée dans l'accouplement, ils seraient vite attristés par la perspective que ça pourrait pas durer, les vers les trouble-fête se mettant trop vite de la partie, leur joie pourrait être qu'éphémère... les envies alors ?... on avait pas bien envie d'aller à Saint-Paulin avant que le curé-monseigneur de Saint-Barnabé nous le conseille, alors voir Saint-Paulin ou mourir avant ?... on parle de Naples comme ça tort travers, voir Naples ou mourir c'est fou ça, Naples sous la pluie c'est pas mieux qu'ailleurs, on dit même que c'est la plus lugubre ville où traîner un ennui sans nom, mon père savait pas qu'il s'en allait traîner à Saint-Paulin le sien ennui bien nommé... ce fut notre premier déménagement, il y en eut bien d'autres nombreux par la suite, on les a traînées nos guenilles un peu partout, à la fin elles méritaient même plus le nom, on apportait tout pour reconstituer ailleurs le passé, les chaises aux pattes cassées avec le reste, tout tout, les meubles qui en étaient à peine, partout égratignés, tous boiteux, les commodes insoumises malcommodes on manquait pas dans le chargement de les attacher ben comme y faut, c'était pas suffisant, malgré cordes et ficelles et broches à foin qui les ceinturaient elles arrivaient à s'arracher les tiroirs tout le temps, on en perdait à chaque déménagement en bas de la côte de la Chute, juste sur le pont de la rivière du Loup qu'est en haut de la chute à Magnan, un deux trois chaque fois, des fois plus, c'est là qu'on constatait l'attirance de l'eau... ils tombaient dans le fort courant qui les entraînait dans la chute vertigineuse, vous l'avez vue la chute qu'est là ?... faudra la voir, elle est impressionnante, elle saute de haut l'eau !... on cherchait pas à les rattraper, impossible !... les gens qui sont tombés là c'est bien inutilement qu'ils cherchèrent à se rattrapper, vous avez pas idée de la force de l'eau si vous pensez qu'ils auraient pu, car c'est pas rien que les tiroirs qui subissaient l'attirance de l'eau, d'autres se sont mouillés là nombreux, on tait ça, on sait qu'il y a du monde qui font ça souvent, on peut pas dire le nombre de ceux qui se sont jetés du haut du pont dans la chute tumultueuse et bouillonnante, on les retrouvait parfois, certains jamais !... dissous dans l'eau ?... un gars de Saint-Paulin dit que ça se pouvait pas qu'on soit dissout dans l'eau quand on a un corps consistant, il prétendait en avoir un, la femme en face de lui avait la même prétention, il se leva et se rabaissa pour embrasser un de ses seins spécialement embrassable, il fut pas dit qu'il se jeta du pont dans la chute, il y eut un frappis contre la porte et un homme entra, il était rasé râclé, l'air bien mais un peu blême, c'était un des vicaires, il venait apprendre à l'homme et à la femme qu'un homme était tombé à l'eau, on a jamais dit clairement que quelqu'un s'y soit jeté, ils seraient tous deux tombés accidentellement, l'homme et la femme aimèrent pas sa manière de leur annoncer ça, c'est sa voix travaillée et trop distinguée qui les heurtait comme une verrerie incommode... le Lafrenière de Saint-Paulin on le retrouva plus d'un an après rendu à Louiseville, Hélène Villemure on sait pas au juste ce qui arriva, on la retrouva noyée un mois après, elle flottait sur l'eau vis-à-vis de Saint-Léon, ce côté-ci de la rivière c'est Saint-Sévère, les gens de Saint-Léon s'ils y venaient en mèneraient pas large, on leur donnerait pas même le droit de parole, peut-être qu'ils seraient dépaysés au point d'avoir plus rien à dire... pas d'amitié possible avec des gens qu'on comprend pas, les Anglais en sont... on les comprend pas, faut leur obéir quand même, c'est eux qui paient, c'est avec l'argent qui devrait nous revenir qu'ils paient, ils ont le front de faire ça!... ceux tombés à l'eau plus d'espoir de s'en sortir... faites donc la somme des vains espoirs dans le monde?... vous saurez plus où les mettre, c'est vous qu'aurez plus la place où vous y mettre, ils prendront toute la place!... vains espoirs... s'il y avait que ça de vain... nos efforts s'avèrent vains... vains étés! autant boire le vin d'été... je commence à comprendre pourquoi tant de nos gens boivent et blasphèment... ç'a son bon côté, ça calme, les gens de Saint-Sévère disaient sans blasphémer qu'ils étaient du bon côté de la rivière sur les bonnes terres, de l'autre côté les terres sont aussi bonnes, tous les espoirs alors!... c'est merveilleux les deux côtés bons! pas besoin de pont jeté sur la rivière pour aller d'un côté à l'autre, pas besoin de pont là, les gens de Saint-Léon en démordent pas, ceux de Saint-Sévère font de même, la folle dépense que ça serait!... il y eut un bac autrefois au moulin, les gens de Saint-Léon venait y moudre leur grain et y carder la laine de leurs moutons, plus de moutons aujourd'hui, les habitants en gardent plus, c'est la faute aux chiens, renards, coyottes et toutes bêtes dévorantes et loups, le lion britannique est que sur les drapeaux... grossière erreur de penser qu'il est que là, on voudrait qu'elle soit finie la fête aux dépens des agneaux!... on sait que les choses ont changé, l'esprit des gens aussi comme leurs habitudes alimentaires, jusqu'aux noyades qui sont moins pires, jusqu'à la rivière du Loup qu'est plus la même... aux temps passés reculés et anciens, ceux d'autrefois, on retrouvait jamais les noyés, ceux qui s'étaient jetés à l'eau, ceux qui étaient tombés dans l'eau tumultueuse des chutes, la grosse à Magnan ou les plus petites plus bas, ou celle à Lamy, ou celle dites des Trembles à l'île Juneau, ceux-là alors on les retrouvait pas, dû au fait que la rivière en aval des chutes était peuplée d'une sorte de poissons minuscules mais si nombreux et si voraces, que pour le besoin de leur voracité ils avaient la bouche grande par rapport à leur corps! presque coupés en deux par leur bouche ouverte!... ils s'attaquaient aux malheureux dès qu'ils avaient touché l'eau, ils s'attaquaient immédiatement à la tête, vite ils se vrillaient un passage par les yeux et s'enfonçaient à l'intérieur, c'est tout de suite le crâne qu'en souffrait, d'autres empruntaient la voie du nez et de la bouche pour se rendre à la poitrine, au coeur, le coeur c'est un morceau de choix! quand le coeur manque c'est une grave lacune... le coeur dévoré en l'espace d'un clin d'oeil ils se rendaient au ventre, le proche, le moyen, l'extrême, c'est tout un pays! il y a les pays dits du proche, du moyen et de l'extrême orient, lesquels on a cherché à dévorer?... tous!... le noyé en quelques minutes tous boyaux déchirés! c'est par l'intérieur qu'ils grugeaient, ils finissaient par achever tout le corps, les os avec, il y a du calcium dedans, c'est dire que les maigres qu'avaient que la peau et les os y passaient comme les gros gras tout bouffis, bourrelets partout consommés!... à Charette comme à Saint-Paulin on sait qu'il y a la rivière et les chutes entre les deux, et il y a le pont, décidés s'il vous reste un peu d'énergie vous pouvez enjamber le parapet... dans l'esprit de plusieurs personnes se jeter en bas du pont dans la chute à Magnan qui refusait personne c'était la solution... pour ceux qu'accablaient tous les malheurs connus ou secrets, les secrets sont pas les moins grands, c'était la solution de dernier ressort... l'effort pour les conjurer on voulait plus le faire, il s'était avéré inutile peut-être... solution du dernier ressort alors! une manière de prendre un nouvel essor par en bas dans l'eau de la chute vers un monde inconnu... partout dans le monde on dit que si les gens se permettaient d'analyser leur sort ils se couperaient la gorge, pas moins!... ici c'est la chute, les gens se mettraient en procession pour s'y rendre... la chute est sublime de collaboration, la chute est belle à voir, Magnan qu'est son nom, au pied des grandes cascades du monde l'eau saute et écume, il arrive qu'elle s'enfonce dans des gorges inaccessibles, les rivières c'est bête, les lacs c'est mieux, pas plus tard que la semaine dernière j'ai couché au bord d'un lac par une nuit obscure on pouvait pas plus, il semblait rester de lumière sur la terre que celle que je voyais répandue en mince couche à la surface de l'eau, mes compagnons revenaient de la pêche, leur canot en profitait pour glisser sur cette lame que l'eau formait au ras de la berge surplombée par le promontoire où était notre shack, un shack c'est une cabane! la nôtre était faite de pièces de bois rond, les Français diraient de rondins, ici des rondins c'est du bois de chauffage tiré des petits arbres ou des branches des gros arbres qu'on a pas jugées assez grosses pour être fendues, est pas fendu qui veut!... j'oublierai pas de sitôt, on revenait de la chasse un copain et moi lorsqu'on vit le long du sentier un homme mort, c'est un cadavre un homme mort, il était raidi de partout, je voulais m'en éloigner, on se contenterait de rapporter la chose à la police, mon compagnon c'était pas un peureux, il avait peur ni des vivants ni des morts, il aurait affronté tous les vivants et tous les morts... mon copain s'agenouilla près de l'homme mort, il était pas encore mort!... c'est là que fut la surprise, il se mit à gémir de peur en nous regardant avec des yeux terrifiés, il ouvrait les mâchoires comme un poisson, mon compagnon dut se retenir, il eut envie de lui fourrer une poignée de sable dans la bouche édentée, au lieu de faire ça, il le chargea sur ses épaules et partit en trottinant dans le sentier, c'était un fort, à la première maison qu'on trouva à la sortie du bois on le laissa après avoir donné

68

nos noms et adresses... ici au pied de la chute à Magnan l'eau tourbillonnait quelque temps, le temps de retrouver ses esprits avant de s'élancer vers les petites chutes, c'est ça qu'elle fait toujours... elle s'élance dans la première des petites chutes, c'est encore des chutes respectables, c'est pas l'endroit où aller avec son petit bateau pour passer l'eau... après l'autre petite chute c'est des rapides plus ou moins forts mais au long parcours, là pas plus la place pour aller avec son petit bateau pour passer l'eau, des gens réussissent jamais, toujours le fort courant devant eux, une vie sans plaisir, s'il y en a ils sont brefs, autant les ennuis finissent pas, condamnés à vivre que par eux, triste astuce!... des déplaisirs qui vont des premiers cauchemars en nourrice aux dernières sueurs!... plus bas c'est l'eau calme, devenue tranquille c'est plus alors que de l'eau boueuse, c'est dans les parages de Saint-Léon, Saint-Sévère, Louiseville, en bas la boue! tout à fait opaque l'eau là!... vaches mortes flottant dessus... pourquoi les gens vont pas en haut de la rivière, il y a toutes les eaux limpides des lacs là-haut aux sources, tous beaux lacs poissonneux, ils pouvaient pas y aller, il y avait des barrières cadenassées, derrière les barrières les riches Américains jouissaient de tout... à nous que la chute à Magnan pour s'y jeter dedans... pourquoi qu'elle s'appelle Magnan, la chute, j'ai pas pu savoir, peut-être qu'il s'appelait ainsi le premier homme à s'y jeter, on y jetait les chats ensachés, c'était pratique courante, moyen radical d'enrayer la surpopulation des félins, tout le monde le faisait, ils se multipliaient trop, les malheurs si on avait pu empêcher leur prolifération il y aurait eu bien moins de noyés à la chute, personnes et animaux... c'est vrai que certains aiment leurs malheurs, mais c'est le petit nombre, ils les vivent d'avance, c'est une façon de les subir deux fois... ils comprennent pas ça, qu'ils comprennent au moins ça, si le moment est à la joie, si le moment en est un de joie, de grâce qu'ils l'empoisonnent pas!... ceux qu'on retrouvait pas, les chats et le monde, une fois dans la rivière ils avaient toute liberté de se rendre jusqu'au majestueux fleuve Saint-Laurent pour la fête des noyés, les poissons voraces étant disparus depuis des ans, et puis jusqu'à la mer, le voyage au bout de l'eau!... la rivière du Loup fut jamais cette rivière au si majestueux cours, quand même les gens d'ici le prétendent qui chantent qu'elle est belle belle, qu'elle est grande grande partout ! c'est un beau petit refrain qu'on aime bien quand même, plaisant à entendre dans les veillées, c'est tout de même pas avec des chansons qu'on en fera un Mackenzie ou un Bramapoutre, même si on se souvient bien qu'elle charriait comme pas une tiroirs et commodes et tout tombé lors de nos multiples déménagements, au pied des chutes il y avait toujours toutes sortes de gens pour nos affaires regarder passer, c'était des pêcheurs assis là sur les rochers devant leur ligne, sur leur visage la patience et un brin de cynisme étaient inscrits, tiroirs, berceaux, chaises et tout ce qui passait devant eux ils s'en occupaient pas, le flottage ça les connaissait, un noyé flottant aurait passé qu'ils l'auraient laissé passer son grand train de chemin comme si de rien n'était, ils en avaient vu d'autres, ils avaient fait toutes les draves du Saint-Maurice et de ses affluents aussi haut que la Trenche, les noyés qu'on repêchait on les enterraient au bord de l'eau puis on plantait une petite croix à l'endroit... des hommes sur les rochers au bord de l'eau les uns fumaient, d'autres chiquaient le tabac fort, ils se torchaient les babines du dos de la main, question d'habitude prise à la drave et aux chantiers... sur ces mêmes rochers l'été des groupes de jeunes garçons venaient accompagnés de moniteurs pique-niquer, enfants de choeur ou de chorale des villes, ils chantaient des chansons que les falaises rocheuses renvoyaient, à l'église c'est des cantiques qu'ils chantaient, je suis en faveur de tous les genres de chants, les patriotiques et folkloriques tout drôles et ceux d'église de même, ceux d'église sont pleins de mots d'amour et d'adoration qui restent dénués de signification s'ils se limitent à leur fonction sonore dans la bouche des chrétiens... chanter en travaillant, on avait pas le coeur à chanter quand on déménageait, on savait que des gens disaient qu'on avait des raisons de s'en aller sans tarder ni chanter, les mauvaises langues accusatrices, plusieurs de bien des bords à la fois qui se disaient joliment renseignées sur notre manière de vivre familiale et intime... savoir ça c'était pas une raison qui nous incitait à chanter, nous, quand même aurait pas fallu s'en faire à ce point, il s'agissait de se persuader que la vie continuerait ailleurs, sans doute pas rigolote, on pourrait faire semblant de croire à l'avenir, non ?... pas se sentir aimé, à y regarder de près, apporte certains avantages, notamment de vous dispenser d'être aimable, c'est connu qu'il y a rien de plus émollient, avachissant même, émasculant en plus, que la manie de plaire... quand on déménageait on amenait devant la maison les charriots de ferme, à Saint-Paulin on apprendrait à appeler ça des ouaguines, dans ces voitures fardières aux hauts brancards faits pour le foin on empilait dedans et jusqu'en haut des échelettes tout le ménage, les chevaux tiraient ces charges aux formes grotesques et ridicules, les colliers mal ajustés les blessaient aux épaules, ils tiraient croche que c'en était une pitié à voir, pourvu qu'ils nous tirent pas au bout des ponts, celui de la Chute fallait pas le manquer !... mon père descendait de sa place tout en haut perchée pour aller ajuster les suettes aux colliers des chevaux, les suettes c'est des rembourrages supplémentaires, fallait pas qu'il y ait des plis dedans... fallait aussi déménager les instruments aratoires, on revenait le lendemain les prendre avec des chevaux déjà harassés, les vaches on les faisait marcher jusqu'à la ferme nouvellement acquise, une odeur de lait chaud s'échappait des lourds pis branlants et dégoulinants, ceux qu'ont pas connu les odeurs des étables peuvent pas dire la sensation... je me rappelle les odeurs fortes, ma mémoire olfactive est très riche, j'en tire vanité, être fier pour si peu fera rire les citadins collets montés hauts sur talons... des talonneux... on peut être fier de n'importe quoi, les femmes étaient fières de leurs hauts talons fins comme des aiguilles, elles sont plus... on peut être fier de n'importe quoi si c'est tout ce qu'on a, moins on possède plus il est nécessaire d'en tirer vanité, certains tirent même vanité de la langue jouale qui en est pas une ! le français est une langue d'une richesse inouïe ! tout le monde le reconnaît, Chinois et Africains reconnaissent... les vaches marchaient sagement, les boeufs pas si sages, eux, ils s'arrêtaient en cours de route pour un ci pour un ça, à tout moment c'était pour encorner les revers des fossés des deux bords du chemin, ils faisaient voler en l'air avec leurs gros sabots ongulés le sable, il en allait jusque sur les galeries des maisons qu'on venait de dépasser, il y avait risque de bris

71

de vitres, c'était plein de cailloux mêlés au sable, les truies et les verrats on les tua tous avant et on vendit des quartiers entiers de viande aux gens du rang et jusqu'au village, on amena que les petits gorets capables de se passer de leurs géniteurs, on était bien ému d'avoir à tuer tant de cochons! on s'étonnait de pas l'être encore bien davantage... on garda pour l'amener à Saint-Paulin toute la portée de la grosse truie qu'avait emmanchée le verrat du voisin, il avait foncé pour venir chez nous dans les barbelés rouillés de la clôture mitoyenne, fallait s'ôter qu'il passe!... une portée de douze qu'elle eut la truie, ma mère avait tant prié pour qu'elle en ait beaucoup des petits cochons!... c'est le monseigneur du village et le bon Père Frédéric qui disaient au monde de tant prier pour soi et pour les petits cochons, le Dieu protecteur de ses enfants, le prier!... c'est notre père à tous... l'air protecteur qu'il prenait pour dire ça qu'on aurait dit que c'était lui, Dieu le père... qu'est-ce qu'on serait sans Dieu?... un petit tas d'ossements... une fois qu'on est os qu'ils soient en tas ou en poussière répandue aux quatre vents ça nous est bien égal, on aurait jamais dit ça devant le monseigneur, Dieu lui, s'il est, doit comprendre ça bien mieux... ma mère comprenait pas pourquoi Dieu exauçait pas toujours ses prières, c'est pas toujours question de gorets! elle en avait des choses à soumettre à Dieu, des choses à implorer sans cesse... je dis ma mère, c'est celle qui avait remplacé ma mère dans le lit de mon père, elle c'était une prieuse!... ma vraie mère j'ai jamais su... ah les prières!... les prières des hommes et des femmes s'élèvent vers le ciel, encore faudrait-il être assuré que le ciel est bien en haut, encore faudrait-il savoir ce qu'est le haut et le bas dans l'univers, c'est possible que ça n'ait aucun sens... les prières des hommes et des femmes de la terre, admettons qu'elles s'élèvent vers le ciel, c'est pas la peine de s'élever si haut, rendues là elles se font concurrence, elles s'annulent mutuellement, ainsi celui qui gardait des truies pour en vendre les gorets aurait voulu que les truies des autres en aient pas tant, qu'elles soient stériles ou donnent naissance qu'à des rachitiques condamnés d'avance à une mort prématurée, celui qu'a pas fini d'arracher ses patates ou de rentrer son avoine veut du beau temps et il prie en conséquence, celui qui voudrait commencer tôt ses labours de l'automne veut que la pluie vienne rendre la terre friable, des gens avaient peut-être prié pour qu'on s'en aille, nous... les gens du voisinage qui nous virent nous en aller se donnèrent des airs d'être émus, ils nous criaient des bons souhaits, personne y croyait, ni eux ni nous, ils auraient pu tout aussi bien nous crier, s'ils avaient été sincères, que c'était bon débarras qu'on s'en aille!... l'ivrogne connu comme tel et pas autrement dans le haut du deuxième rang, à qui mon père avait refusé de vendre de la viande de porc à crédit était furieux, il hurla contre nous lors-qu'on passa devant sa maison, on était révoltés tous de l'entendre, lui-même était révolté quand il manquait de jus, aurait fallu que toujours il puisse lever la bouteille à satiété, toujours le bon vin à gargouiller dans son gosier inassouvissable, furieux j'ai dit qu'il était, vous aviez qu'à voir ses mains qui papillonnaient vers nous comme deux mites échappées, c'est ses poignets et ses bras qui les empêchaient de prendre leur vol... moi, petite machine à vibrer supersensible, elle va pourtant se détraquer un jour!... c'est miracle qu'elle ait tenu, elle tient bon, hour-rah!... moi sous l'effroi des paroles si brutales de l'ivrogne c'est tout mon être délicat qui se repliait et frissonnait... c'était triste à voir cette partie du rang qu'on appelait le haut du Deux, elle avait que des terres pauvres, elles le sont encore, on voyait que des granges délabrées, certaines effondrées, les maisons pas mieux entretenues... plus loin une petite maison vétuste, toute petite, un bon vieillard l'habitait, on le vit à la fenêtre, cheveux tout blancs, il nous regardait nous en aller, il semblait nous envier, heureux monde qu'on était qui s'en allait vers l'Aven-ture, c'est ce qu'il pensait, lui, sa vie était monotone, il vivait du matin au soir dans l'unique pièce à se fouiller le crâne, à quoi ça servait?... il oubliait souvent de manger, il était revêtu des plus invraisemblables nippes... la première nuit qu'on passa à Saint-Paulin j'en rêvai, de même qu'à l'ivrogne démoniaque, la première partie de cette nuit, avant que d'aller me coucher très tard, je la passai en partie dehors, allant ici et là, rôdant, je sentais le besoin de poser mes mains sur les choses, je regar-dais tout d'un oeil neuf ce que je distinguais, j'épiais chaque bruit du pays nouveau en humant l'humidité... quand la noirceur devint plus épaisse je rentrai, les formes équivoques des arbres au loin et celles des autres moins loin m'effrayaient... c'est à Saint-Paulin que je dus commencer à aller à l'école, ça m'effrayait, et aller à l'église ça m'effrayait également... nécessairement il y eut des difficultés d'adaptation, des problèmes... mes père et mère y avaient pas pensé ni personne, il aurait fallu y penser depuis l'éternité ou depuis l'an 1900 !... il y a des gens qui pensent depuis longtemps à la mort qu'ils feront, c'est des beaux morts ensemble qu'ils veulent faire, j'ai connu un couple d'amoureux qui pensait depuis des années d'aller ensemble à Paris et là, la main dans la main, se jeter en bas de la Tour Eiffel, faut s'aimer bien gros pour ça !... j'allai donc à l'église à Saint-Paulin, quelques années plus tard elle a brûlé, on disait ouvertement que l'incendie avait été allumé par une main criminelle, on désignait du doigt le boiteux, deux jours après l'incendie il vint en son vieux bogué tiré par un cheval cagneux voir les dégâts comme tout le monde, son cheval tomba là raide mort devant les ruines, c'en fut assez pour faire peser sur lui les pires soupçons, le zélé nommé Midas de ce coin du village appelé Petit Canada goba tous les ragots à lui tout seul, il les condensa et les crut tous, fallait voir comment vite monta en lui la vague des plus vertueux ressentiments auxquels il ne put résister, il promit sur son âme et sur celles de ses père et mère de venger Dieu dont on avait incendié le temple, il commença par aller s'enfermer chez lui, le premier qui se présenta à sa porte trouva notre homme debout sur une chaise en plein gueulements et grandes transes, il insista pas, se retira, le Midas, une fois calmé, trois jours il demeura dans sa maison, chagrin, les yeux errant de la porte à la bouteille de whisky posée sur la table qui se vidait méthodiquement, une nuit, la bouteille vidée et d'autres de même, il sortit de chez lui, on le vit s'en aller vers la maison du boiteux et y entrer, bien sûr qu'il avait toqué violemment à la porte, mais il était entré sans attendre de réponse, lorsqu'il le vit se découper sur le panneau vide, le boiteux dit tout haut voilà mon homme !... Midas comprit pas ce qu'il voulait dire, il le comprit qu'un peu plus tard... plus tard, aux petites heures du matin on l'en vit sortir en titubant, il lui fallait se tenir aux deux montants de la porte pour assurer

74

son aplomb, sa chemise était déchirée et son visage était ensan-
glanté, un oeil noir inquiétant, le boiteux l'avait d'abord soûlé
puis lui avait administré la pire des râclées, à le voir dans l'état
où on le vit on aurait pu croire qu'il était tombé du haut d'une
falaise ou qu'il s'était fait traîner par une auto six rues, ceux
qui disaient ça constataient simplement, il y avait pas trace
d'ironie dans leur voix, lui y reconnut la plus féroce ! ... si vous
aviez vu de son oeil resté intact jaillir le plus furieux des regards, s'il avait eu le pied solide ils y auraient goûté ! ... ils
paraissaient pas comprendre que c'est cadavre qu'il aurait pu
sortir de là ! ... la maison du boiteux, repaire d'assassin ! ... de
l'assassin incendiaire ! ... qu'ils sachent tous les gens de la
paroisse, qu'ils sachent tous, curé, vicaire, enfant de choeur et
de chorale, hommes intègres et femmes de mauvaise vie, que
tout le monde sache qu'on avait ici l'homme assassin et incendiaire ! ... le boiteux avait pensé comme bien d'autres le pensent un jour ou l'autre que logiquement pour se débarrasser
d'un homme qui vous gêne c'est d'en faire un cadavre, c'est la
chose parfaite et achevée ... y a-t-il chose plus parfaite et plus
achevée qu'un cadavre ? ... d'où l'on peut conclure que quand
on se gêne trop soi-même on peut se tourner en cadavre ...
ceux qui ont de grandes peines disent à qui veut les entendre
qu'ils voudraient mourir ... faut pas que se contenter de le
dire ! ... ils veulent mourir, qui les en empêche ? ... le moins
qu'on peut dire c'est que c'est un peu mesquin d'avoir tant de
peine et pas en mourir, qu'on en meure donc ! ... ça viendra,
je suis pas prophète, je me prive de l'être et m'en défends, ils
ont toujours tort d'avoir raison, c'est pour ça qu'on les écharpe,
j'ai déjà tous les torts comme c'est là, je pourrais me passer de
prophétiser, quand même je dis qu'il y aura des morts ! ... on
commence par vomir ... le Midas parce qu'on prêtait pas attention à ses propos vomit des injures si grossières qu'elles lais-
sèrent tout le monde pantelant et paralysé, seul le père de mon
ami Camille trouva la force d'agir, le père Ovide Arseneault
prit donc le Midas par le bras et l'entraîna vers la maison qu'il
habitait au bout du Petit Canada, maison à peine une, une sorte
de cabane faite de planches toutes fendillées et usées par les
intempéries, il l'installa dans l'unique lit, lui, il s'allongea par

terre à côté du poêle où il dormit jusqu'au matin alors que, constatant que Midas était pas mort, qu'il semblait même n'en plus avoir la moindre envie, il s'en alla chez lui... les soupçons contre le boiteux on savait plus s'il fallait les entretenir ou les rejeter, quoi qu'il en soit les vieilles gens gardent vivaces le souvenir du violent incendie, tout le village et le ciel jusqu'aux nues furent illuminés, des grands corridors même entre... les craquements des poutres enflammées s'entendirent jusque dans les rangs éloignés, jusqu'à Hunterstown!... on passa tout un été sans voir de clocher, avant, de notre terre on le voyait bien en travaillant, quand on était content toute la famille aux champs on chantait en travaillant, moi je m'abstenais des fois, j'avais pas toujours le coeur à chanter, personne l'avait plus depuis qu'il y avait plus de clocher proche ou à l'horizon là-bas tout là-bas dans le vent qui soupire!... mon père s'imaginait que les soupirs dans le vent étaient ceux du clocher brûlé, du revers du fossé où il s'était assis pour se reposer il se levait péniblement et allait en boitillant jusqu'à la clôture de perches à laquelle il s'appuyait, il aimait pas creuser les fossés pourtant nécessaires à l'écoulement de l'eau, dans la tranchée il y avait pas de paysage à voir, pas d'horizon, il aimait mieux être plus haut, les gens qui se dorlotaient au village, oisifs, il aurait bien voulu les voir à sa place la pelle en main et donne-z-y!... appuyé à la clôture, la main en écran devant les yeux il regardait du côté du village, déçu d'avoir pas vu le clocher il retournait au fossé, un moment après il lâchait précipitamment l'outil, l'abandonnait là et s'en allait à la maison en boitillant, il s'en prenait à sa chaussure de son boitillement, il s'en rendait pas compte que c'était son pied le coupable, quand c'est tout l'homme qu'est pas fort pourquoi demander tant au pied?... il faisait des pauses, la main au pubis, le visage crispé... quand il était là, le clocher, sa voix tintait à propos de tout, certains diraient de rien, petits enfants prenez garde aux flots bleus!... on est plus des enfants, et en fait d'eau il y avait que celle de la petite rivière, du grand feu je vous parlerai plus longuement plus tard, je pourrais parler des feux de forêt aussi, je suis pas pour vous raconter tout d'un trait en une seule fois, rien ne déflore autant une histoire que cette manière de faire, mon père

76

c'est comme ça qu'il nous tenait en haleine, au quart, au tiers, au milieu il s'arrêtait, on insistait pas, c'était pas la peine, c'était peine perdue... on reniflait en manière de protestation, on secouait la tête avec une sorte de tolérance triste d'avoir un tel père, n'importe qui peut être père, l'être, il y en a qui demandent pas mieux!... c'est pas toujours ceux-là qui sont à la hauteur, c'est amer le reproche venant des enfants d'avoir pas été le père qu'il fallait être, c'est à tout le monde qu'on pourrait adresser l'amer reproche et à soi-même... pourquoi j'ai des idées comme ça?... des gens bonnes gens me font gueules bien grosses d'en avoir de telles... le monde ils sont pas comme ils devraient être personne, aimables et charitables et pas méchants à ce point envers les autres, c'est des pensées bêtes sûrement... j'en vis, c'est ma nourriture quotidienne, il y en a qui allaient communier tous les matins pour nourrir leur âme et la rendre meilleure, tels que je les connais tout de même je me demande comment ils auraient été s'ils l'avaient pas fait, leur âme c'est que squelette qu'elle est même à ce régime!... encore mes pensées bêtes... le Bellemare, prêtre-curé à Cha-rette après le Picotte, qui l'avait été avant, il me disait de pas penser trop, de me rationner au régime des idées, celui qui a des idées pas comme les autres c'est dangereux pour la Sainte Église, il préférait de beaucoup un coureux de jupons, celui-là on a qu'à lui donner une femme et tout le temps qu'il passera entre ses cuisses c'est autant de gagné, mais celui qui pense trop donnez-lui l'univers c'est à peine s'il sera satisfait, il tentera d'en percer les secrets, il voudra aller au-delà, il ne veut pas de limites... l'univers en a peut-être aucune... en tout cas on m'envoya à l'école à Saint-Paulin, supposément c'est à l'école qu'on apprend les choses les plus belles... allez-y, allez-y voir!... dès le premier jour j'aimai une petite fille toute propre, au retour de l'école elle m'expliqua au coin des rues, devant le magasin d'Olivier Paquin, les lettres qu'il fallait apprendre le soir même, elle les savait toutes déjà, a b c... Carmelle qu'elle s'appelait, je savais pas alors qu'il existait quelque part dans le monde un Mont-Carmel, pour moi il y avait qu'une petite fille digne de mention dans le monde et elle s'appelait Carmelle, c'est pas moi qui l'aurait amenée dans le fond d'une cour comme le faisaient d'autres petits garçons pour d'autres petites filles, je la respectais bien trop, j'aurais jamais osé lui toucher même du bout du doigt, ça se passait devant le magasin d'Olivier Paquin, celui-là je l'oublierai jamais, avec le nom qu'il a je m'imagine toujours qu'il a dû assister à l'agonie qu'eut le Seigneur au Mont-des-Oliviers... j'ai jamais dit à la petite fille que je l'aimais, elle était pas de la même classe sociale, dans ce cas-là on aime sans le dire, elle est bien mariée quand même avec un gars plus haut d'un cran, et depuis longtemps mère de nombreux enfants, épouse exemplaire d'un commerçant dans les viandes de choix et épiceries diverses, c'est ce qui compte le plus dans le monde, c'est ça que les gens mangent, ils finissent pas de s'empiffrer des meilleures choses ceux qui ont beaucoup d'argent!... j'en eus jamais beaucoup... elle a bien fait Carmelle d'épouser le commerçant, le boire et le manger assurés... et puis je sais pas si je l'aurais toujours aimée, son boucher de mari l'aima fidèlement, boucher de profession et de nom, je sais pas si tous les Boucher du Québec descendent de Pierre Boucher de Boucherville qui fut gouverneur de Trois-Rivières et dont le manoir existe encore, il aurait fait planter devant un chêne dit boréal, aujourd'hui il mesure dix-huit pieds de circonférence et a une hauteur de cent trente-deux pieds, c'est le plus gros arbre de la région et un spécimen rare, Boucher de Boucherville fut le grand-père de Lavérendrye, le découvreur des Rocheuses... à Charette, c'est tout plein de bouchers, ils vont partout vendre de la viande, j'anticipe pour raconter, c'est bien plus tard qu'on vint se fixer à Charette, je raconte quand même tout de suite, ça me le dit, à Charette, les bouchers pullulants gros bides nombreux qu'il y a là on sait pas s'ils descendent de Pierre Boucher de Boucherville, je crois pas, c'est rien que des bouchers coupeurs de viandes, veau, porc, boeuf, tout y passe, pattes et intestins, saucisses et boudins, c'est bouchers coupeurs de viandes toutes sortes descendant de n'importe qui, qui ont pas cru bon de découvrir les montagnes Rocheuses, pour eux toutes les montagnes se valent, valant à peu près rien elles sont presque toutes rocheuses donnait pas d'herbe à bétail, je parle comme ça de Charette en passant, avant le temps, je devrais pas anticiper, qu'on me laisse parler à ma guise n'importe comment tort travers et avant derrière, trop tôt au gré de certains, c'est bien plus tard qu'on est venu au rang Saint-Joseph dans la maison qu'était su'a côte, elle y est plus, ma mère l'haïssait tant!... mon père aimait ça, lui, rester su'a côte tout en haut, nous aussi, les enfants, on était haut, on voyait loin... pourquoi je parle de ça ? on est encore à Saint-Paulin!... vos oignons!... Charette entécas je vous dis que c'est un petit village! je pourrais bien pas vous le dire que le village serait petit quand même, c'est un petit village dans une paroisse rurale, je dis pas ce qu'il est, il pourrait être laid qu'est-ce que ça ferait?... il y a à la télévision américaine une femme laide qui se sert de sa laideur pour intéresser, pour attirer, pour charmer même!... le village a son charme comme la plus jolie des femmes laides peut avoir le sien, ce qu'est déplaisant chez les hommes c'est quand ils déploient un enthousiasme ridicule comme celui d'un vieux cheval voulant imiter un poulain... la paroisse rurale faisait autrefois partie de Saint-Barnabé, le village existait pas avant la construction des moulins à scie des Charette père et fils après, Saint-Barnabé au début faisait partie de Yamachiche, au temps passé le territoire de Yamachiche partait des roseaux du lac Saint-Pierre et ça montait jusqu'où on voulait, c'est pas que du vent, mon explication, si vous venez j'irai vous montrer ce qu'étaient les hauts considérés tels alors, maintenant c'est plus haut qu'il faut aller pour trouver les hauts respectables, les hauts d'alors aujourd'hui j'en atteins les confins le temps de le dire avec ma mini-moto Artic Cat, c'est pas encore assez haut pour être bonne terre à gibier, Montréal c'est encore moins terre à gibier pour y chasser, mais ça dépend quoi on veut chasser... si c'est une femme à violer, pour fanfaronner devant des amis d'ici j'ai dit que quand je violais une femme à Montréal elle me remerciait, mais pour dire vrai, je n'ai jamais violé une femme!... je contais des choses de même qu'à la noirceur, on peut s'en permettre quand il vente de la noirceur dans les oreilles d'un côté à l'autre de la tête!... les hauts qui sont plus hauts il y a des routes poudreuses pour les atteindre, il y en a même qui sont asphaltées, elles montent à la grande forêt, c'est là la terre à gibier par excellence!... tout le monde a compris, c'est pas du vent, mon explication... mon explication concernant l'immensité du territoire de Yamachiche, même si elle est pas bien présentée, c'est pas du vent, c'est du vrai de vrai, le territoire allait jusqu'aux sources de la rivière Yamachiche et d'autres petites rivières, ça montait haut, jusqu'où on voulait, comme le ventre d'une femme, on met dessus la main, on trouve le nombril, si elle veut pas qu'on descende plus bas on remonte, c'est pas toutes les femmes qui laissent les mains partir par en bas, on remonte d'ordinaire jusqu'aux tétons qui sont durs, Yamachiche faudrait pas que des gens pensent et prétendent que c'est le nombril du monde, il y a pas que des nombrils là, même s'il y en a pas mal, chacun ayant le sien !... il y a aussi la bonne Sainte Anne... elle vient pas dans les hauts celle-là, faut aller la voir en bas... il y en a qui viendront jamais, il y avait des durs de durs qui restaient dans les hauts, ils allaient jamais à la messsse, pas plus à confesssse !... messe et confesse ça rime, jamais un sans l'autre... sur Yamachiche on est fixé, deux certitudes... primo les nombrils chacun le sien, hommes et femmes, j'ai vu des beaux hommes et des belles femmes, de forts hommes rougeauds, peu d'yeux bleus, en bas du fleuve c'est commun chez les capitaines et marins du pays de goélettes, j'ai pas fait d'enquête mais j'ai idée que c'est ainsi, que ce soit absolument vrai ou pas, pour moi elle est suffisamment probable pour me permettre de l'émettre, mais ici, dans le pays d'alentour il y a des Bellemare qui votent bleu depuis Sir John, le Mac, ordonnances, conseils, cabales épisco- pales, quelque chose comme ça... secondo Yamachiche a sa bonne Sainte Anne protectrice dorade acharnée réclamée grands cris !... on veut bien leur laisser le mérite d'avoir pensé à ça et d'avoir organisé des pèlerinages annuels pour toutes les pa- roisses à la ronde, on percevait l'orgueil qu'ils en tiraient, on y allait tous les ans après qu'on fut venu se fixer à Charette, de Saint-Paulin c'était trop loin en bogué et jument blonde ou joual nouère, à Charette on en manqua pas un, les jeunes de partout y allaient nombreux, ils ont cessé d'y aller en aussi grand nombre, ils y allaient beaucoup plus pour boire et voir les filles, pour parler du cul ça manquait pas !... jeune ça me scandalisait, puis ils s'apportaient de la boisson forte ou ils s'en achetaient sur place dans des débits clandestins, nous, la famille on y allait en bogué double, celui qui avait deux sièges, ploc ploc ploc la grosse jument bon train, et encore et encore par en bas on allait, jeunes et familles d'en haut, ça prenait des heures, treize milles à ploquer comme ça, la jument, la sueur d'abord puis tous les flancs couverts d'écume, quand même quels sacrifices ils feraient pas, hommes, femmes et enfants et jouaux pour la bonne sainte Anne, le culte de la grand-mère! les Chinois ont plus que nous le culte des ancêtres... elle, c'en était une lointaine dont on pouvait pas suivre la filiation... quand même... les années suivantes, mes bons parents se crurent assez en moyens financiers pour se payer un pèlerinage annuel bien plus loin l'autre côté de Québec, à Sainte-Anne-de-Beaupré, on disait que celle de là-bas était bien plus puissante que celle d'Yamachiche, nous autres on le croyait... alors ces années-là mon frère et moi nous allions seuls à Yamachiche la fête alors doublement! sans les bons parents à nos trousses, c'est une des rares fois qu'on nous permettait d'atteler le Boyd, un grand cheval noir fringant et vigoureux, comme il s'en voyait pas un autre de cette trempe ardente, ôtez-vous de d'là qu'on passe!... tassez-vous!... c'est nous qui s'en vient!... les fers aux pattes alertes frappaient les cailloux de la route, au contact violent ils produisaient des étincelles, le cheval c'était connu un vrai diable courant, au rang Vide Poche, la côte croche on descendait ça sur deux roues, les deux autres touchaient pas terre, on voyait les cailloux voler aux fossés, les gens nous regardaient passer on leur envoyait la main, on chantait et criait, ils devaient penser qu'on était déjà chauds, à droite, la grosse maison, la femme Hortense nous connaissait car elle venait des parages d'en haut par chez nous, on savait pas comment il se faisait qu'elle avait épousé un Lamy d'ici, si c'était l'attirance de la bonne Sainte Anne on peut pas dire qu'ils étaient tous attirés pareillement par la sainte, on en voyait qui s'en allaient aux champs dans le tombereau avec des enfants, tirés par un vieux cheval... un jour de pèlerinage!... mon père ayant appris le train de fou qu'on avait mené le cheval noir en pèlerinage, les gens avaient rapporté toutes sortes de choses exagérées, toujours est-il qu'il ne nous le laissa plus, il le vendit à Dorius Lacerte, charretier de Charette, il fit pas deux ans aux mains de ses gars, un jour il tomba raide mort au retour d'une course exagérée à une vitesse extravagante, on alla par la suite en pèlerinage avec la grosse jument blonde qu'était bien paresseuse, fallait la fouetter à tour de bras pour la faire trotter un peu, dès qu'on cessait elle reprenait son pas lourd et lent, ça prenait un temps à plus finir pour se rendre, à Yamachiche on allait bien vite s'acheter une bouteille de fort comme les autres copains, on se réunissait sous quelque chède derrière les maisons et là ça parlait cul une minute et quart !... y avait pas à dire, on en apprenait tous les ans !... il y venait un gars en particulier qui excellait dans les racontars, il les disait tous vrais, nous on doutait, on l'appelait Ti-Jos Varicelle, chaque année il avait de nouveaux exploits à nous raconter, cette fois l'affaire s'était passée avec la fille à Chimère, le voisin, peut-être que c'était Omer qu'il s'appelait, pas Lomer, je sais plus au juste, pas Gouin j'en suis certain absolument, c'est une certitude, laissez-la moi, des certitudes y en a pas tant, j'en eus assez peu au cours de ma vie, c'est comme l'argent j'en eus toujours ben manqué !... c'était drôle comme tout, l'affaire à Ti-Jos, il racontait aux autres gars qu'il s'accouplait à la fille du voisin Chimère juste sur le bord d'une coulée, je savais pas ce que c'était une coulée, on m'apprit que c'était un ravin, les gens disent une côte double avec au fond un ruisseau qui coule, c'est une coulée... bien accouplés les deux, se tenant bien serrés bras et jambes au mieux ils se laissaient débouler dans la pente jusqu'en bas, ça roulait fou, ils rebondissaient à cause des inégalités du sol jusque dans le ruisseau qui coulait en bas, ils remontaient et recommençaient tout mouillés moultes fois jusqu'à ce que tout meurtris tous les deux, je comprenais pas bien les discours du gars, j'étais trop jeune... c'est pas toutes les filles qu'auraient voulu débouler dans les ruisseaux !... tous ces déboulements racontés par Ti-Jos ça dépassait alors mon entendement, aujourd'hui je crois rien, comment un gars pouvait-il rester bandé à travers tant de péripéties ?... aux petits singes les vieux singes montrent comment faire des grimaces de singes, le gars, qu'il s'appelle Ti-Jos Varicelle ou varie pas parce qu'invariable, il me ferait pas aujourd'hui de tels accroires... je pouvais pas croire ça, qu'une chose de même arrive chez les Noirs d'Afrique j'aurais cru, pas ici dans le monde des Blancs, aujourd'hui je suis convaincu que les Blancs ça peut tout faire des pires choses, après tout être blanc c'est une absence de pigments plutôt qu'une qualité spéciale... Ti-Jos Varicelle et la fille à Chimère la voisine pour peu qu'ils aient continué les roulades accouplés et les remontées ils auraient fini par faire des rôdeux de rouleux!... une régularité d'habitudes ne peut manquer d'agir sur un individu lorsqu'elle persiste un temps assez long, Ti-Jos qu'était pas tout à fait titi s'il a perdu l'habitude du roulage en bas des coulées il a pas perdu l'habitude des fourrages de femmes en bonnes et dues formes, la preuve est là, bourrages de matrices à n'en plus finir, on parle pas des bourrages de crânes, c'est pas dit que Ti-Jos était un génie, un homme de cul est pas nécessairement un homme de tête... laissons les crânes, ça l'a pas empêché de faire une innombrable progéniture connue, dont les unités se connaissent entre elles, celles inconnues seraient bien pires, et nombreuses, aucune de ses unités pourtant ne se connaissant entre elles!... Ti-Jos à Yamachiche disait aux autres que tout le plaisir était dans l'affaire de la coulée... j'écoutais ça, je savais pas quelle contenance prendre, je trouvais pas ça correct un jour de pèlerinage à la bonne Sainte Anne, fallait qu'il vienne à Yamachiche raconter ça, les jeunes faisaient cercle autour, on oubliait d'aller à l'église chanter les cantiques en procession dans le cimetière à côté, des litanies à plus finir, les invocations hurlées, bonne sainte Anne guérissez nos malades!... il y en a un lot!... les mentaux à guérir et les corporaux!... quand même on les guérirait tous, Yamachiche resterait le nombril de la région grâce à la sainte guérisseuse, elle guérirait pas que ça resterait quand même un nombril de quelque sorte, pas guéri de sa prétention de l'être... nous on nous désignait dédaigneusement comme les gens des hauts, c'était pourtant pas si haut, plus haut sont les tétons généreux et les hautes montagnes boisées, chez nous les montagnes étaient pas hautes à l'excès, ici en bas c'est plat jusqu'à l'eau, y a pas de quoi se glorifier, on arrive dans l'eau du lac Saint-Pierre on s'en aperçoit à peine, heureusement qu'à l'automne c'est plein de canards sauvages toutes variétés là-dedans toute beauté, des oies sauvages, bernaches, toute la volaille qu'est en voyage et s'arrête ici, elles font que passer et pourtant il s'en fait tuer ici bien plus que dans les hauts d'où elles descendent à l'automne, les grosses poules, la prudence devrait leur dicter de passer ailleurs, elle leur enjoint bien le printemps d'aller pondre leurs oeufs dans des régions reculées... les Indiens restent dans les hauts, pour se rendre les y rejoindre aux sources de la rivière du Loup quelques Blancs la remontèrent jusqu'au Grand-lac-des-îles, c'est passé le lac du Sorcier, un nommé Lampron de la rive sud traversa le lac Saint-Pierre monta dans les hauts les y rejoindre, il vécut avec eux pendant des années, un jour, pris de nostalgie, il descendit le cours de la rivière et vint s'établir à Saint-Sévère avec son Indienne, il osait pas retourner parmi les siens avec sa squaw l'aut'bord du fleuve, des Lampron d'ici descendraient tous de lui et de sa moitié indienne, il y en a en diable dans les parages, c'est pas des inventions, c'est Léonard Lampron qui m'a dit ça, c'est pas n'importe qui, Léonard, on peut le croire, il s'est renseigné il est crédible, on peut le croire dur comme on veut, comme fer à repasser ou fer de lance quand il se lance dans toutes les explications, c'est un honnête courtier en assurances générales rompu aux boniments courtois, assurance en tout, vie et mort par accident ou autrement... tout ça j'appris après qu'on fut revenus, père, mère et enfants de Saint-Paulin, là on savait rien de ça ni nous ni les gens, s'ils savaient ils disaient pas, c'était pas des parlants comme aujourd'hui, à nous ils parlaient peu, entre eux c'était mieux... à Saint-Paulin j'allai donc à l'école comme il se devait, à celle du village, on était la première ferme à la sortie vers le rang des Douze Terres, la bâtisse qu'était l'école, est plus là, elle a brûlé elle aussi, tout brûle par là!... là, plus qu'ailleurs des femmes brûlantes il y en a! elles brûlent de désir, vulves incendiaires!... on s'instruisait quand même, l'école incendiée on l'a remplacée par une bien plus grande, moderne en tout, toilettes et salles de gymnastique, si vous aviez vu la place petit endroit où on allait pisser et chier, on nous disait de se priver, on pourrait chier en masse chez nous!... c'est pas croyable la belle école maintenant!... c'est pas croyable si mesquins qu'on fut un temps par rapport à l'instruction, c'est pas croyable la prodigalité maintenant!... tout le monde instruit jusqu'au bout des ongles, toutes ignorances bannies, les bûcherons de Saint-Paulin pourront dorénavant du fond des chantiers du Lézard ou du Lac-de-la-Tête ou d'ailleurs sur la Mattawin, la Trenche ou le Saint-Maurice, de Casey lettres par avion !... c'est pas croyable de voir comme le monde est instruit maintenant !... les bûcherons pourront dorénavant écrire à leurs épouses des lettres enflammées et passionnées, même des cochonnes, les épouses restées au village c'est pas des truies !... l'élevage porcin était négligé alors, aujourd'hui on le pousse bien plus à cause des bouches plus nombreuses à nourrir, les épouses restées elles s'ennuient pas comme celles de Gilles Vigneault dans sa chanson que Pauline Julien chante bien, elles s'ennuient pas tant qu'avant à cause des lettres des maris instruits, certaines en plus s'en sont trouvé un temporaire, elles s'en sont bien trouvées, le fort homme leur fait oublier l'autre parti, c'est pas dit si c'est un Samson le fort homme qui distribuait les petits bonheurs suçons aux épouses restées inconsolables, c'est pas moi !... donc c'est vrai tout ça personne nie, donc qu'il soit su qu'elles s'en sont consolées les épouses, plusieurs, l'exception en grammaire confirme la règle, de l'absence du mari parti au Lézard ou ailleurs dans les grands bois à bûcher les arbres en longs billots ou en courtes pitounes, les billots réunis en empilements hauts comme ça ! pitounes cordées partout le long des chemins qu'on vient d'ouvrir, faut passer le temps, le temps était long pour les hommes ennuyeux, rien que les pitounes pour se désennuyer ! faut passer le temps comme on peut, les femmes passaient leurs désirs trop forts comme elles pouvaient, tout le monde instruit les mêmes désirs primitifs restent quand même comme ils étaient du temps de l'ignorance ou de la grande noirceur... si tel est pas votre avis, gens instruits, dites-le, qu'on sache ! ingénieurs qu'on produit partout, parlez !... la belle génération présente c'est dans la belle instruction qu'elle est élevée, et elle est pas le yable plus parlante pour autant, c'est absurde des fois ce qu'elle affirme, malgré tout on dit qu'elle sera forte, j'oserais pas affirmer, pas affirmer... on avait tant dit que la génération élevée dans la religion se devait d'être forte, on affirmait ça partout en églises et en écoles partout... elle fut pas tellement, pas forte, pas bonne, des fois franchement méchante, méchanceté cachée, la méchanceté de cette génération c'était sa force, c'est celle des faibles... on a beau dire tout le temps, les soeurs à l'école finissaient pas, les vicaires à l'église, les frères aux collèges partout, que la religion distribue le pain des forts... plus beaucoup de religion, l'instruction partout!... ingénieurs en tout, pour la queue des trucs tout nouveaux pas connus avant, architectes chacun le sien, un pour vous, un pour moi, un et plus pour les autres... vous imaginez ce qu'on érigera?... partout pénis érigés... chacun son architecte pour toute érection, même pour sa cabane!... philosophes en plus tout le monde, il en pleut!... moi qui pensais l'être un peu j'en rabats, je peux pas les affronter, plus rien tient devant eux, hourra!... hourra pour la pitoune et tout! il reste quand même que devant cette jeunesse élevée dans l'instruction on est bien perplexe... pas vous?... pourquoi qu'on serait?... faudrait pas l'être, ils feront ni mieux ni pire que nous, c'est que dans les apparences qu'ils diffèrent, je vous le dis, qu'ils soient philosophes ou pas, je vous dis qu'au départ la même maladie qu'on eut ils l'ont et pas à un degré moindre, j'ai assez frayé avec eux pour savoir, la maladie c'est la peur... c'est la phobie, la crainte maladive, je leur ai dit que la situation justifie nullement une telle angoisse, ils me croient pas, ils fondent des communes pour se rassurer les uns les autres... ils cherchent dans les personnes et les choses ce qui pourrait les rassurer, la drogue aidant ça va... ce qui est grave c'est que les jeunes personnes phobiques, à force de l'être, en viennent à manifester une inhibition d'ordre sexuel, la frigidité ou l'impuissance, je crois pas ça... ça serait un moyen tout trouvé de freiner l'augmentation de la population, on dit qu'elle est déjà freinée... trop même, ceux qui disent s'en prennent aux femmes qui se laissent emplir, après elles recourent à l'avortement... c'est pas ces p'tits, ces foetus avortés qui feront le voyage au bout de l'eau à partir du pont de la chute à Magnan, pas même le voyage au bout de la nuit... quand on regarde la jeunesse élevée dans l'instruction, on se met à faire le bilan de sa jeunesse évanouie dans les rêves non réalisés, on fait alors la triste constatation que les petits plaisirs qu'on s'est permis on a trouvé moyen de les entacher de culpabilité, c'est triste à dire, l'appétit satisfait nous laissait un goût amer, on voudrait recommencer et faire mieux... qu'est-ce

86

qu'on ferait de mieux ?... tu sais bien qu'elle est vouée à l'échec toute tentative de reprendre sa jeunesse et de tout recommencer... pourquoi qu'on la recommencerait ?... c'est pour être plus heureux que tu voudrais la recommencer ?... pouah !... à moins d'être des fous ou des amoureux, les deux se valent et valent pas tant, on admettra jamais qu'on est heureux, on recommencerait sa vie que ça serait pareil... c'est à cause de l'allergie, l'allergie dont tous sont atteints c'est d'être réfractaire à sa bonne étoile, je savais pas que les étoiles peuvent être bonnes ou mauvaises, j'en veux plus alors des étoiles, elles sont pas mieux que les hommes !... elle est sans limite notre disposition pour cultiver le malheur, on y mêle les étoiles, on pense qu'à tout amocher et soi-même avec !... ça serait ça le triomphe de sortir plus mort que les autres de toutes les situations !... on se voit pas autrement que dans la fausse perspective du malheur, on voit le bonheur des autres comme le plus grand de tous nos maux, si encore ce n'était que le plus grand des mots !... je pense que la jeune génération élevée dans l'instruction fera mieux, la déferlante instruction faut qu'elle serve à quelque chose !... des avocats c'est super-plein partout et des notaires vous pensez pas qu'on en a pas plein ?... des médecins il y en a pas trop, tout le monde est malade !... les prêtres se disent les médecins des âmes, il en faut des médecins !... les prêtres se disent capables de guérir toutes les maladies des âmes, j'ai pas encore rencontré celui qui pourrait guérir la mienne... d'ailleurs ils me fuient, c'est pire que peste, faut croire, et lèpre jamais vue, ma maladie !... ils me fuyaient, j'aurais voulu discuter avec eux de mes maux, ils se sentaient pas à la hauteur, ils sont pas spécialistes en rien, faut croire qu'elle est trop générale leur médecine pour mon cas particulier... je leur en veux pas pour ça, au contraire, de reconnaître leur incompétence, ils sont honnêtes, faudrait qu'ils suivent encore des cours, leur faculté, elle fait figure de parent pauvre, la théologie... alors, des curés, plus beaucoup... l'attrait d'autrefois ça existe plus, à Saint-Paulin on en manqua pas, l'église incendiée on l'avait rebâtie, elle était pas pire, l'église ça comptait alors dans ce village et dans tous !... aujourd'hui plus autant, on dit qu'elle était l'âme et le coeur de la paroisse, l'âme, l'âme !... il y aurait les âmes individuelles, une toute petite affaire de rien, pourtant on encourage tout le monde à les sauver, retraites fermées ou ouvertes toutes sortes prêchées par tous éminents révérends pères de toutes dénominations, jésuites, rédemptoristes, oblats ou pas, tous !... pourquoi qu'on sauverait que les âmes individuelles ?... c'est de l'égoïsme pur et simple quand on songe qu'on laisse mourir l'âme collective d'un peuple !... ils ont manqué leur train, les prédicateurs de retraites fermées ou ouvertes, les entrebâillées avec !... je leur en veux beaucoup de cultiver l'égoïsme !... ils laissent mourir l'âme collective d'un peuple, ils trouvent plus urgent de sauver des petites âmes individuelles... chiennerie... vacherie... les âmes en retraite fermées c'est des oiseaux enfermés en cage, il y a pas d'élans à prendre dans les petits endroits ! les âmes deviennent en peine, vous en avez pas vu à Montréal sur les trottoirs chauffés à blanc, c'est peine à voir leur perplexité, elles savent plus à quelle grande âme se rattacher, en désespoir de cause elles vont se rattacher à l'anglaise... la nôtre collective, trop négligée, c'est pas assez rassurant... toutes ces âmes perdues !... elles vont par les rues qui finissent à l'eau qu'est toute désignée pour un lot d'entre elles, c'est à l'eau qu'elles devraient se cacher, leur honte avec, les cachalots se cachent à l'eau parce que ce sont des grands mammifères cétacés qu'en ont assez, trouvant que c'est bien assez de montrer ses mamelles hors de l'eau, les mamelles que nos femmes montrent peuvent même plus allaiter les bébés !... c'est la honte partout, celle de tout un peuple, qu'on la cache à l'eau alors !... l'âme qu'est pas oiseau vole pas, c'est sûr qu'elle volera jamais si elle est que oiseau en cage... je veux un oiseau aux grandes ailes comme l'aigle, il y en a à qui l'envergure des ailes dit rien, c'est le plumage éclatant qui compte !... je gaspillerais pas une balle pour une mouette, c'est désespérant quand on voit plus que de vulgaires moineaux partout tout autour... on se garde de parler de ces choses dans les églises de village, Saint-Paulin pas mieux, on dit pas au monde que quand la grande âme collective d'un peuple est morte c'est un peuple damné qu'on devient, on se contente de damner les paroissiens un par un... des nègres blancs on était, des damnés on devient tout noirs... vous avez pas vu ?...

la grande âme d'un peuple une fois détériorée vous verrez les âmes individuelles devenir tristes, douloureuses, des coeurs qui cessent de battre, l'église on a beau dire qu'elle est l'âme et le coeur du village un nombre croissant de gens trouvent que c'est pas sérieux... en France on montre aux touristes des églises vermoulues, fendues toutes lézardées bout en bout, les gens là sont pires qu'on pensait, pensez-vous que c'est chez nous qu'on s'enorgueillirait de telles vétustés?... d'abord on laisserait pas les églises se détériorer ainsi, celles qui s'abîment on les répare au plus tôt, si on pouvait pas on se garderait bien de les montrer, on endetterait plutôt toute la paroisse, même si c'est pour finir par en faire des cinémas, il y a des places c'est déjà fait, j'ai rien à dire à ce sujet, faut qu'elles servent à quelque chose... églises pour matérialistes partout!... voilà ce qu'il manquait chez nous, des athées sérieux qui réclament des églises!... ceux qui sont pas sérieux qu'ils cachent leurs faces poupines et enfantines, on veut des gens sérieux, s'ils sont athées tant pis tant mieux, pas besoin des cloches des églises pour l'annoncer, on a découvert tout seuls, les cloches si elles servent plus qu'on les descendent d'en haut!... certains déjà tout zèle pour le faire, ils propagent l'enthousiasme, ça durera pas la crise hystérique, vous verrez les Russes se mettre à rééduquer les Chinois!... ah non c'est trop, qu'on remette les cloches là-haut!... l'éducation qu'en fait-on?... il en faut sous tous les régimes, l'éducation ça commence avec le lait... si les femmes ont plus de lait reste celui des vaches!... finies les vacheries, c'est pas les Russes qui feront tout dans l'éducation du monde, il y a des Chinois qui resteront chinois, les petits Chinois qu'ils tètent le lait de leur mère chinoise, les nôtres ont plus de lait, c'est tout en boîte aujourd'hui, on aura des rachitiques, je suis resté rachitique, c'est pas la faute à ma mère, elle donnait ce qu'elle avait, elle avait pas le lait suffisant... ceux qui ont bien bu jeunes tout le lait voulu, plus tard c'est les boissons fines, ils deviennent des gens réconfortants, optimistes... j'ai pas vu ma jeunesse faute de lait et de tout, ça me réconforte quand même voir la forte jeunesse, on voit qu'elle s'est bien alimentée comme il faut de lait riche, alors en avant toute jeunesse agglomérée irrésistible partout, partout plein! les églises

89

cinémas avec, c'est tout plein là comme ailleurs l'essaim !...
jusque sur les toits !... vous croyez que ça va se généraliser ?...
le Laflèche a dit que non... à Saint-Paulin cômasque, cômasque
ça veut dire comté de Maskinongé ! vous saviez pas quelles aber-
rantes abréviations on pouvait faire ?... ici on peut tout faire,
apprenez !... apprenez qu'à Saint-Paulin le Laflèche curé de
son métier et chanoine de son honneur, le professionnel en
matière de religion, fallait qu'il fasse respecter l'autorité !...
fallait !... malgré tout le respect que je lui devais j'approuvais
pas tout... jamais j'approuverai l'intransigeance, j'approuvais
pas tout, au nom du respect dû à l'autorité, au nom de tout et
de rien, de n'importe quoi, on commet les pires injustices !...
le Christ a dit qu'il fallait pardonner à ceux qui savent pas ce
qu'ils font,... le Laflèche il aurait jamais admis ce discours de
ma part, petit minable, moi ! lui l'aristocrate haut ergoté, je
veux dire monté haut sur ergots, les coqs ont des ergots, ceux
qui font se battre les coqs munissent leurs ergots de pointes
d'acier bien tranchantes... vous imaginez le carnage... méfiez-
vous des ergots et de ceux qui sont haut montés dessus... le
chanoine qui m'aurait trouvé trop minable pour tenir quelque
discours que ce soit il a jamais pensé que j'aurais pu être à sa
place et lui à la mienne si le hasard s'y était pas opposé... il
aurait pu y penser... qu'est-ce qu'il aurait fait s'il avait été à
ma place ?... probablement ce que j'ai fait, j'ai fait pour le
mieux avec mes faibles moyens... quels qu'ils soient, monseigneurs ou chanoines, les curés voudraient tous être chanoines,
autrefois ils étaient gentils, maintenant plus... s'ils étaient
restés au niveau de tout le monde ils auraient pu aider, ils
auraient pu distraire le monde, ils auraient pu rendre meilleur
leur entourage, maintenant d'en haut où ils se tiennent s'ils
échappent une pierre elle tuera du monde sûrement !... faut
pas que ça dure cet état de choses en église ou en parlement, où
que ce soit faut pas que ce soit ! faut pas qu'il y ait que quelques
gars en haut qui puissent échapper des pierres, impunément,
les autres en bas qui finissent pas de surveiller les pierres !...
faut pas que ça dure, ou il se trouvera des gars pour mettre le
feu aux poutres ! ils sont nombreux déjà ceux qui hésiteraient
pas à porter l'enfer aux nues si bleues !... vous verrez comme

elles deviendront vite rouges!... le chanoine admettrait rien, il tolérerait pas qu'on manque de respect à l'autorité, regardez!... exaspéré rien qu'à la pensée, le sang aux yeux, quel regard!... notre regard développe et exagère le point sur lequel il s'attache, on tente de le faire devenir ce qu'on prétend qu'il est, chez lui c'était la fulgurance foudroyante et destructrice!... lui c'était l'autorité, l'amour on savait pas quel rang... il aurait fallu que ce soit le premier, il y en a de l'amour chez certains êtres exceptionnels! une énorme réserve qui les gonfle, qui afflue de leur chair vers leur tête jusqu'à en dévergonder les pensées!... lui c'était l'autorité d'abord, le chanoine pensait ça, alors, c'était l'excessive autorité, c'était que ça!... les vieux pensent qu'il y a que la génération montante qui a plus de respect pour rien, l'autorité moins que tout, on entend que des esclaffures!... penauds on se demande où ça nous a mené le grand respect qu'on avait de l'autorité... nulle part, c'est évident, le chanoine admettait pas, fallait pas lui dire ça, chaque fois c'était la grande furie incendiaire, vous avez vu ceux qu'on dépossédait de leurs privilèges comme ils faisaient feu de partout et de tout bois flèches!... ils se sentent pas bien dans leur assiette qui se fêle de partout, l'autorité se fêlerait avec... ça commençait il avait beau dire que non ça le tracassait gros déjà, il se sentait vieillir et ça le tracassait aussi, il était souvent distrait et perdait le fil de ses idées, il lui arrivait encore de se laisser envahir par des mots qui éclataient en lui et s'éparpillaient tous sens,... après l'affolement il pensait à la mort, la sienne, elle l'effrayait pas, on était content pour lui, la pensée de la mort lui apportait la paix, enfin!... la mort était déjà présente dans ses gestes... il l'attendait comme d'autres attendent Godot ou Trudeau, quand elle lance son appel c'est à l'humanité qu'elle s'adresse, un temps viendra où l'humanité ça sera nous, en ce moment l'humanité c'était lui... l'autorité ç'avait été lui, il déplorait qu'on dise que le respect de l'autorité ça mène nulle part, si on avait voulu ça nous aurait menés tous au ciel!... la mort, si on répond pas à son appel, elle vient seule, on entend ses pas, elle vient en amie et on voudrait se sauver d'elle, le tigre se précipite au secours de ses congénères sans la moindre réflexion ou bien il se sauve au plus profond des taillis... lui, pas tigre se sauverait pas, il prétendait que la mort apporte le ciel comme un cadeau sur un plateau ! il cessait pas de répéter des choses, c'était machinal sa façon routinière de parler, eh oui, c'était toujours la même rengaine, il invitait tout le monde au ciel, il nous attendait, il nous attendrait toujours toutes portes ouvertes, tous tapis de Turquie déroulés comme aux grands mariages des grands péteux de ce monde, tous les bouquets et les grandes musiques !... en haut les oiseaux et leurs chants vers la grande volière du ciel !... on peut pas tous être oiseaux ! il y en a qui veulent pas, ils rendent les oiseaux responsables de plusieurs malédictions qui pèsent sur l'homme, Vian en énumère trois qui sont le désir de grimper aux arbres, le désir de voler, le désir de chanter... des jeunes vont jusque là mais ils veulent pas des grands mariages ridicules et tralala, ils vivent ensemble et pas besoin de l'annoncer à grands renforts de tambours et trompettes... on trompettait un temps à propos de tout et de rien, au son des trompettes les anges viendront annoncer aux hommes l'heure du jugement dernier, des hommes en sècheront de frayeur, ils ont raison, si ce sont des pauvres rien à attendre, les jugements leur furent rarement favorables, ils appréhendent tout de ce dernier, tout de même ils ont la consolation d'entendre dire que ça sera le dernier !... les jeunes ils annoncent pas à la trompette trompeuse qu'ils vont vivre ensemble... j'en connais qui sont heureux qui ont commencé sans faire tout le fatras accoutumé et toutes les ridicules cérémonies !... qui sont dispendieuses en diable !... le chanoine il aurait jamais soupçonné qu'on en viendrait là, se passer du sacrement de mariage comme ça sans plus s'en faire et faire l'amour quand même !... abominable chose !... forniquer en dehors du mariage, abomination !... les jeunes voient pas où est l'abomination, moi je crois pas que c'en soit une, les jeunes comprennent pas les choses à la façon des chanoines d'antan, d'abord ils comprennent pas que l'on puisse s'arroger le ou les droits de s'immiscer dans leurs affaires personnelles, qui que ce soit !... un gars que j'ai connu rencontra une fille une fois, deux fois, plusieurs fois, chaque fois qu'il était près d'elle il avait envie de la toucher, de l'embrasser, de la prendre, la fille le sentait, elle aurait voulu qu'il le fasse, un jour, d'un commun accord, ils décidèrent de faire tout ça, ils avaient aucune idée de ce que l'Église aurait pu ajouter à leur irrévocable décision, bien plus ils auraient redouté qu'elle fasse que gâcher toute l'affaire... le chanoine il a pas vu les choses rendues si loin, tant mieux, il en aurait été encore plus malheureux, il fut jamais tellement heureux, les gens écoutaient pas ses enseignements, mais il a pas vu le pire, il en serait mort, il a pas vu les cinémas dans les églises... la solitude des hommes est inévitable, pourquoi qu'on les laisserait pas faire quand les jeunes trouvent moyen d'y remédier, la solitude des hommes est inévitable, à deux ça se supporte peut-être mieux, seul c'est pas drôle, quand même je trouve qu'ils y vont un peu fort ceux qui se sont emparés des églises... ils y vont un peu fort à notre avis, on a gardé quelque chose de l'éducation première, on a beau dire et beau faire on peut pas se défaire de son odeur... quand on s'est confessé régulièrement et qu'on a fervemment communié jour après jour pendant des années, pleins de toutes les ferveurs alors tous on s'emplissait de tous les songes, c'est qu'après l'insultante déconvenue des songes qu'on s'aperçut qu'on était restés des gros Jean comme devant, à peine plus regardables... pas étonnant qu'on cria, tous veulent crier leurs déconvenues, y en a tant qui ouvrent en vain la bouche, ils profèrent aucun son!... pourvu que l'espoir de la jeunesse devienne pas un mot dépourvu de sens... c'est à Saint-Paulin que j'ai commencé mes confessions et communions tout jeune et petit menu, c'est le chanoine lui-même qui entendit ma première confession, les soeurs à l'école leur grand rôle était de préparer les enfants à faire leurs confessions comme il faut, la formule apprise par coeur, pas se tromper d'un mot, la mienne faisait bien ça qui s'appelait Sainte-Albanie, la grosse soeur Saint-Jean dominait toutes les autres soeurs, toutes faisaient menues souris devant le gros chat, j'en avais une peur bleue, les soeurs recevaient d'elle des ordres sévères, dont un était de nous bien préparer à la confession, fallait dire avant tout si on avait montré ses fesses!... on l'avait fait tout un groupe de petits gars plus d'une fois, je sais pas comment les autres se sentaient, moi insupportable était l'inconfort de ma position, au moment de l'examen de conscience ordonné par la soeur, aidé par elle, pris de panique j'arrêtais pas de trembler, l'école avec il me semblait, pas que les vitres, les murs mêmes s'agitaient !... j'aurais voulu que le plafond me tombe dessus, j'aurais plus joui de la vie mort que vif, dans mon cas pas la moindre jouissance, c'est de ce temps, pour moi, que date le goût des catastrophes qui m'est resté, d'autres c'est le premier bon coup qui leur a donné le goût de boire, c'est à la première cuite qu'ils ont pris le goût des boissons enivrantes, ici beaucoup de gens l'ont et le gardent, le chanoine a beau dire et beau faire, il a toujours déploré les penchants mauvais des hommes... il avait beau tempêter tous les dimanches du haut de la chaire ça passait comme faible vent sur tous ceux qu'étaient en sympathie avec la bouteille, ça l'enrageait, il criait très fort des fois tout rouge, peine perdue, il aurait dû savoir que tous les désirs sont dans la nature, et incontrôlables, il disait, le chanoine, qu'ils sont tous pervers... certains faisaient semblant de l'écouter, un temps ils se restreignaient un petit peu, d'autres pas une miette, pour ceux-là il criait pour rien, surtout que crier sert plus à rien aujourd'hui, les nouvelles musiques toutes fortes bruyantes inimaginables font un énorme bruit qui couvre tout... toutes les voix anciennes perdues dans le tintamarre !... plus possible pour les prêtres d'entendre les confessions dans le vacarme, le chanoine entendit ma première confession, faut que je raconte... les petits voisins tous fils d'Ovide, mon frère et moi et d'autres qui venaient du village et se joignaient à nous, ensemble on allait à la pêche dans la Petite Rivière, c'est rien que des poissons blancs menus qu'on prenait, on les appelle, ces poissons, des corrégones, je savais pas alors qu'on les avait affligés d'un tel nom, c'est bien sûr qu'on savait pas alors toutes les choses qu'on sait aujourd'hui... les jeunes en savent plus que nous, ils ont déjà fait des choses qu'on fera jamais... après avoir pêché en descendant le cours de l'eau on s'arrêtait là où la rivière traverse la terre appartenant en ce temps-là à un dénommé Anselme Lambert, on nous avait bien défendu de nous rendre jusqu'à l'endroit où la Petite Rivière se jette dans la rivière du Loup, juste un peu en amont du pont des gros chars... sur la terre du Lambert le coteau dévalait en pente douce jusqu'aux aulnes au bord de l'eau, il y avait des vaches qui paissaient, paisibles, lourdes, aux pis pendants remplis, quand il faisait

94

chaud il y avait une place où se baigner, elle était toujours là hiver comme été, on la voyait que quand il faisait chaud, pas creux d'eau nulle part, juste ce qu'il fallait, on pouvait pas s'y noyer à moins de tomber sans connaissance tête première dans le jus, on se baignait nus, après on gambadait des heures durant comme agneaux du printemps enjoués devant les bergeries, on courait au flanc des coteaux des deux bords de la rivière avant de se rhabiller, on y voyait pas de mal, cependant on en parlait pas à nos parents de nos ébats nus, si ça se sut c'est la faute à l'habitant Lambert qui nous vit en venant quérir ses vaches pour la traite du soir, il nous surprit à jouer nus sur ses terres, on lui en voulut beaucoup d'avoir ébruité la chose, il avait qu'à se la fermer, l'écornifleux, pourquoi qu'il s'était pas occupé de ses veaux plutôt?... je le vois encore en imagination, ses veaux aussi qui couraient là-bas la queue toute droite en l'air comme s'ils avaient été poursuivis par un essaim de guêpes, c'était peut-être le cas... il nous surprit donc, le Lambert aux vaches, toute peau lisse à nue découverte, il s'empressa d'aller raconter la chose à nos bons parents bonbons et à tout le monde, c'est pas tout le monde qu'est bon!... même cette fois nos supposés bons parents le furent pas, le grand scandale!... vous pensez pas?... c'est ça qui les mit hors d'eux-mêmes, les mauvaises langues s'en donnèrent!... vous voyez pas le mal déjà installé chez ces jeunes?... ça promettait pour un avenir cochon!... nous on était fâchés de tous ces propos faux, et cela par la faute au Lambert, qu'on le revoit pas celui-là!... il va l'avoir sa dégelée, on est pas gros mais on est nombreux, vous verrez que rien qu'à aboyer on le fera monter au pas de course jusqu'au fronteau de sa terre!... qu'il y reste! qu'il coupe jusqu'à épuisement les noisetiers sauvages qui abondent là pas croyable!... qu'il travaille plus encore, qu'il parle moins, c'est sa terre négligée qui se reprend toute en broussailles, au bout là-bas c'était pire, ça s'en venait comme une forêt cette partie abandonnée de sa terre, le Lambert, on voyait plus le ruisseau qui coulait là, toutes branches l'encombrant, on dirait tout contre lui... il devina nos noirs desseins, les fois suivantes il passa loin sous les arbres tordus qui étaient comme de la fumée s'échappant des entrailles de la terre, c'est en fumée lui-même qu'on aurait voulu le voir se transformer, tout dans le brasier ce qui lui appartenait, ses veaux, vaches, étalons et juments, et cochons gros et petits avec!... cette histoire qu'il avait faite parce qu'il nous avait vus nus! moi-même je regrettais d'avoir avoué au chanoine à confesse qu'on s'était montré nus, les petits gars, j'aurais pas dû, jamais dû, c'était la faute aux soeurs... les gens empiraient les choses, ils se mirent à dire qu'on amenait des petites filles et qu'on comparait comment on était faits, c'était pas vrai, la petite différence on s'en occupait pas tant, bien plus les langues vipéreuses allaient jusqu'à dire qu'on s'accouplait avec les moins petites, certaines assez grandes pour nous enseigner comment faire... tout faux cela!... de là à dire qu'on avait violé une petite fille incapable de se défendre et cela à tour de rôle jusqu'à ce qu'elle en mourut suffoquée, après on l'aurait jetée à l'eau, de la petite rivière elle serait passée dans la rivière du Loup et aurait sauté toutes les chutes, puis dans le fleuve, puis dans la mer immense, le grand voyage au bout de l'eau, donc!... on disait que la fillette était pas de la paroisse puisque pas une manquait à l'appel, on l'aurait fait venir de loin... les mauvaises langues s'en donnaient d'autant plus qu'il était arrivé au cours de l'été l'affreuse affaire d'un meurtre suivi d'un suicide, je ne sais plus dans quel bout de rang, Bout-du-monde, Fontarabie, Malachie, ou Grand-Cadie, peut-être que c'était arrivé au lac Castor, on racontait ça partout l'horreur du drame... ç'avait commencé, disait-on, par un accouplement au cours d'une veillée pas recommandable, la maison était pleine de fêtards, garçons et filles, la femme de l'habitant qu'on disait impuissant propriétaire de la maison où se tenait la fête eut la forte envie de sa vie en voyant un beau gars qu'elle entraîna dans sa chambre à coucher, en l'espace d'un clin d'oeil elle se serait dégagée complètement de tous ses vêtements et se serait étendue sur le lit les bras en croix, c'était tentant pour le gars les seins durs qui érigeaient leur pointe rose, il commença par poser ses lèvres sur la peau tendue de ce corps offert, au passage il goûta les perles transparentes de sueur qui roulaient le long de ses seins, le goût salé qu'il leur trouva l'affola, chatouillée, elle l'attira violemment et nicha ses seins pointés contre la poitrine de l'homme convoité, bientôt glissé sur

96

elle il n'y eut plus dans la chambre que le bruit de leurs respirations mêlées, personne entendait parce qu'il y avait la bruyante fête en dedans et parce que dehors il y avait la plainte d'un vent d'orage qui geignait et giflait les arbres devant la porte à grandes claques bruyantes, il y eut que l'habitant mari de la jeune femme qui entendit, il trouva insupportables les gémissements de la femme qu'il n'avait jamais pu faire jouir à ce point, il se précipita dans la chambre le couteau à saigner les cochons en main, le couteau levé il se jeta sur l'homme, lui plongeant la lame entre les épaules, puis d'un geste brutal il retira le couteau de la plaie de l'homme mortellement atteint, la femme hurlait, elle hurla plus encore quand elle le vit tourner l'arme contre lui et s'en fouiller le coeur, il s'abattit sur les genoux d'abord, sa main rouge de sang mit son empreinte sur le parquet nu, puis il eut une sorte de sanglot en s'effondrant tout à fait... la femme sentit son esprit la quitter, on dit qu'il ne lui revint jamais... voilà comment on jasait, avec des vicieux précoces comme nous des choses du genre arriveraient encore... on dit que le soir du meurtre suivi du suicide le violent orage qui éclata dura toute la nuit, et fut le pire et le plus long jamais connu, il continua à peine amoindri tout le jour suivant et l'autre après avec un vent toujours déchaîné, des coups de tonnerre terribles, d'horribles éclatements, à chaque éclat de ce bruit intolérable les maisons entières tremblaient comme si un coup de poing formidable s'était abattu sur les toits, y avait rien de rassurant dans les éclairs fulgurants et aveuglants dont l'un attendait pas l'autre... ces choses qu'on racontait ça venait de source digne de foi, la source digne de foi était peut-être de celles qu'on connaît, qui sont les premières à faire courir les rumeurs... en attendant qu'on fasse la part des choses entre la vérité et les rumeurs, c'est aux rumeurs qu'on ajoutait foi, mes père et mère de même!... on mettra du temps à distinguer entre la vérité et la rumeur, pour certains aucune différence!... les gens distingués distingueront, les pas distingués, jamais!... dans ces conditions pas surprenant que tout tournait contre nous, le temps serait long avant qu'on nous traite équitablement, le temps serait long, que tout le monde meuble d'agissements qui sont pas toujours raisonnables, comment le seraient-ils quand les hommes

le sont pas, ils naissent fous, un tas d'entre eux le restent !...
toute leur vie, ils semblent agir en état second comme s'ils
avaient absorbé une fois pour toutes de très fortes doses de
divers toxiques, si vous les voyez tomber prostrés avec ralentis-
sement du pouls sachez que la mort est proche, les troubles de
paroles vous constatez déjà ! les réflexes sont affaiblis... perdez
pas votre temps à faire rédiger les plus belles ordonnances
griffonnées sciemment incompréhensibles sur papier à en-tête...
le peu qu'on sait sur tout un chacun suffirait à dicter une ligne
de conduite, pour tout un chacun de ces gens qui s'en viennent
moribonds le mieux serait trois quatre bouteilles mousseuses des
meilleurs vins, corsez bien le vin en plus !... ça pourra les
requinquer au moment de faire le grand pas dans l'autre monde,
on sait pas ce que ça signifie cette expression l'autre monde...
peu importe, pourvu qu'ils sautent dedans en piaffant... hour-
rah pour eux, pour nous, pour tous, sautez !... bien fait, bien
fait, y en a qui font ça comme du grand monde ! on avait cru
bien faire en se taisant devant le grand monde et le petit monde
concernant les fesses à nu sur la terre du Lambert, parce qu'on
l'éclaira pas davantage, mon père continua d'ajouter foi aux
rumeurs concernant l'affaire du gars assassiné, du suicidé, dans
la nôtre il y avait pourtant rien de vrai dans les rumeurs qui
circulaient, ils auraient dû savoir, des petits gars comme nous,
on avait que des petites queues qui bandaient à peine... on
était quand même en train de faire de nous des héros, les morts
qui meurent lentement on les considère pas tels, faut une mort
spectaculaire, comme celle des oiseaux que j'ai vus tirés au fusil,
les gros, foudroyés en plein vol, semblent se précipiter plutôt
qu'ils ne tombent, ils rebondissent sur le terrain durci, c'est
lamentable quand même un tel effrondrement... au lac Saint-
Pierre quand on les tire près de l'eau ils choisissent de tomber
dans l'eau, c'est pas plus héroïque, qu'est-ce qui l'est ?... l'héroïsme on s'en serait passé, qu'est-ce qu'un héros, un p'tit gars
peut-il en être un ?... pas sûr, un héros c'est un homme qui
accomplit avec dévouement et détermination, courage et com-
pétence les tâches que son époque impose à tous, en 37-38 il y
eut des héros, la liste en est dressée dans les livres... pour
quelques héros c'est le grand troupeau des lâches et peureux

qu'on a, pour ce qui est d'être des peureux ça nous connait !
on a même peur d'être soi-même, l'idéal pour éviter la peur et
tout motif d'avoir peur c'est d'être des riens ignorés et sans
patrie... des héros il en a jamais mouillé, il en mouille pas plus
aujourd'hui alors que chaque Québécois devrait en être un...
c'est les peurs répandues qui nous en empêchent et d'être nous-
mêmes... pourtant on a la meilleure étoffe !... les nôtres s'ils
peuvent pas être eux-mêmes qu'ils soient des résignés d'aller
jusqu'à la merde... il s'en trouve pour souhaiter notre mort
collective, ils mettent la main à l'oeuvre d'anéantissement, être
des héros c'est impensable !... héros tous faudrait être du temps
qu'on est vivants,... on pourrait pas accomplir des oeuvres
telles qu'on douterait que ce soit nous qui les ayons accom-
plies ?... les grands écrivains on met parfois en doute qu'ils
soient les auteurs de leurs oeuvres... faites ça et vous vivrez !...
on voulait bien vivre, nous, les p'tits gars, tant qu'à être des
héros c'était pas encore décidé, notre peuple pourvu qu'il soit
pas atteint d'apoplexie, les céphalopodes le sont... vous savez
ce que sont les céphalopodes ?... c'est des mollusques caracté-
risés par un bec corné et huit bras garnis de ventouses, certains
céphalopodes possèdent deux bras supplémentaires, c'est ceux-là
qu'on veut !... eh oui, mollusques pour mollusques autant
prendre ceux qui ont des bras supplémentaires, je sais que le
temps venu on manquera de bras, rien qu'à penser aux besoins
urgents qu'on aura de tout alors j'en attrape une céphalalgie !...
craignez rien c'est rien qu'un vulgaire mal de tête !... quand
même ça peut nuire à l'effort excessif, si on le fait pas c'est
parce qu'on est trop peureux, trop fumiers vaches moutons
chevaux porcs, tous les fumiers !... la seule différence est qu'il
y a les fumiers frais chiés aux pâturages, le soleil les sèche vite,
on soulève les bouses raidies en surface, c'est tout grouillant de
vers dessous... il y a aussi les fumiers qui fermentent depuis
des mois derrière les étables... il voulait pas les excès, le chanoine, il les verrait pas tous, il mourrait avant, il avait pas encore
vu les églises devenues cinémas, il soupçonnait même pas tous
les excès répréhensibles, ils viendront, il s'agirait de savoir ca-
naliser les énergies, le chanoine comprenait pas ce discours,
plutôt que voir les églises devenir cinémas il aurait préféré les

voir fermées et les villages abandonnés, ça se voit en France des villages toutes maisons délabrées et l'église pas besoin de clé pour entrer, on pousse le battant et le tour est joué, on regarde à l'intérieur, on s'étonne de la voir déjà à claire-voie, la bâtisse !... pierres et briques dégringolées partout, on butte dessus dehors dedans, on imaginait mal le village de Saint-Paulin réduit à la décrépitude, cimetière à l'abandon, devenu pitié, le séjour des morts !... petites fleurs sauvages timides à côté des énormes buissons et ronces envahissant tout, plus même un chemin pour y aller, tant mieux, on ira plus !... ceux qui y tiennent affirment crânement qu'ils iront quand même par le chemin praticable où il y a plus de traces presque, fondrières se tenant !... on a connu ces sortes de chemins, c'est des pareils qui menaient à l'endroit où l'on allait pêcher dans la Petite Rivière et aux coteaux où l'on courait nus... c'est un mauvais chemin comme ça qu'on suivait, on y retourna plus après les rapportages du Lambert, les pères de nous tous, les mères les secondant, certaines pas sérieuses elles auraient ri dans leur barbe si elles en avaient eu, quand même fallait épauler le mari, l'accoter, au lit elles l'accotaient c'était surprenant pour des êtres dits faibles... des pères ayant fait les pires menaces à leurs enfants elles s'émurent à la fin, les pires choses imaginables, menaces de bras cassés et de jambes tordues, qu'on attende un peu !... je savais bien que mon père se livrerait pas à de tels excès de châtiment... j'avais bien un peu peur, mais pas autant que les autres, ceux-là les menaces c'était du sérieux fondé sur l'expérience, il y a des parents qui se fâchent à tel point qu'ils pourraient détruire leur progéniture... je les suivis, les autres, quand ils jugèrent à propos de fuir, ils décidèrent de fuir chacun sa maison paternelle, de disparaître, on attendit pas le soir, mes petits amis copains voisins et jeunes villageois Alcide, Donat, Camil, et autres pressés, on s'en alla sur-le-champ en suivant baissés pour qu'on nous voit pas le fond du ruisseau Julien un bon bout, jusqu'à la montagne de Félisse Dupuis, il y avait là une vieille cabane qui en avait été une à sucre, maintenant désaffectée, ça faisait des années, le Félisse, qu'il faisait plus de sucre là, les belles érables il les avait presque toutes coupées pour en faire du bois de chauffage ou des billots, le bois de chauffage était vendu aux villageois, les villageoises c'est bien frileux quand les maris sont absents partis aux chantiers, Félisse il faisait de l'argent en vendant son bois le fort prix, c'était un homme dans le genre des faiseux d'argent, il avait tous les tours voulus, les trucs impensables, les combines les plus habiles... on s'installa dans la cabane de sa montagne pour la nuit, les plus âgés trouvaient qu'on était bien installés tous là les uns sur les autres, ils s'étendirent sur le lit de branches de sapins qu'on avait amassées et me demandèrent de les masturber sous prétexte que je devais avoir la main douce, c'est ça qui me révolta, j'aurais jamais fait ça!... ils s'arrangèrent donc entre eux, je fermais les yeux pour rien voir, d'ailleurs la noirceur venait déjà... j'en vis trop quand même, les plus âgés venus du village j'aurais jamais cru ça d'eux! ils s'embrassaient entre eux goulûment, vous voyez ça!... ils disaient qu'ils s'aimaient, je les distinguais dans le coin sombre qui s'amusaient entre eux, en tas là, tout ça bien titubant, ribote, cochons!... gourmands ceux-là pas croyable, comme ceux qui se réattablent pour manger encore et reboire, assoiffés tous des fortes boissons ils boivent au goulot même, on devient gourmands et ivrognes en vieillissant, un temps vient où personne va plus droit une miette!... tout zigzag!... on a commencé pour rire, à la fin tout le monde fait pareil, je dirai pas le pour ni le contre, je veux pas discuter, quand on entre en discussion après des heures ça finit jamais, après des heures on serait pas plus avancés... on avait pas apporté de nourriture là, nous autres, autre preuve supplémentaire et secondaire de l'imprévoyance de la jeunesse!... à la fin on pourrait se taire! on a tout dit, le pour, le contre, concernant la jeunesse et on est pas plus avancés, nous, à la cabane de Félisse, on était pas bien avancés une miette d'avoir engueulé tout un chacun d'avoir pas apporté de nourriture aucune, les autres ça les avançait pas plus de nous engueuler d'en avoir pas plus apporté plus qu'eux, on était là, on avait faim, le plus débrouillard nous dit de pas s'en faire, d'attendre la nuit et de se fier à lui, on le lui promit, en pleine obscurité on descendrait tout nuitamment jusqu'au moulin à scie de Vila Lamy, c'était un ordre, il donna toutes les instructions... sur tous les sujets il pouvait nous en apprendre, le sexe, c'était étonnant comme il était renseigné !... ainsi qu'il l'avait ordonné on descendit d'abord au pied de la chute à Lamy pour faire comme les gens qui vont à la pêche là la nuit et détourner tout soupçon, là en bas l'eau tournoyait et les pitounes entassées dans cette eau tournoyaient aussi en grand cercle, comme des sardines entassées elles devaient tournoyer dans le grand remous, elles se choquaient entre elles, se donnaient des coups de côté ou d'avant ou des ruades pour se faire de la place et pas mourir étouffées tête sous l'eau... celles qui arrivaient pas à jouer du coude efficacement s'impatientaient et s'en allaient dans le courant rapide, on s'en va par en bas !... en un rien de temps elles se rendaient au pont des gros chars... c'était bien fait de leur part, quand vous êtes pas désirés, où que ce soit, restez pas !... vous êtes de trop n'importe où !... moi j'ai connu ça... on vous assure que vous dégagez une odeur insupportable, que vous êtes à liquider... les pitounes sentaient que le tanin... j'ai observé au cours des ans, c'était pas de l'imaginaire, le même haut-le-coeur je devinais chez les gens qui m'approchaient un peu de près, ceux de mon espèce de même, l'irrémissible gaffe que j'avais commise de pas suivre la filière commune !... de pas m'être inséré dans le moule commun... c'est au moment de mes fortes réflexions que je vois le gâchis... hideux merdeux compact solide je suis devenu, ils avaient besoin de trompettes à Jéricho, ils en veulent de plus fortes pour annoncer ma déchéance !... ils veulent tous s'y mettre, tous charrient dans le même sens... ils veillent sur moi et sur ceux de mon espèce... pour s'enfuir faudra choisir le moment qu'ils veillent pas... quand on fut assuré que personne veillait plus au moulin on s'en approcha, on redoutait quand même parce qu'on savait qu'il avait un lot de petites filles, le Lamy, les petites filles ça peut passer des nuits à la fenêtre à rêver, elles nous auraient vus, elles nous virent peut-être dans leurs rêves car c'était des fillettes dans nos âges, quand elles furent grandies j'en aimai plus qu'une, avançant en âge elles présentent encore bien, imaginez-les alors toutes primesautières, toutes les finesses !... avec d'infinies précautions, en évitant de faire le moindre bruit, le bruit des chutes aurait couvert ceux que nous aurions pu faire, on se rendit au jardin en arrière du moulin où on prit tout ce qu'on put, arrachant sans ménagement tout ce qui nous tombait sous la main, des légumes de toutes sortes, on savait pas quelle sorte c'était à la noirceur comme ça, ce qu'on prit pour des radis s'avéra être des petites bettes, les carottes étaient devenues des panais, puis on se rendit compte que le Lamy avait omis de cadenasser la porte de la dépense attenante à la maison, peut-être qu'il le faisait jamais, des rôdeux comme nous il en venait jamais, ceux qui venaient là la nuit étaient des amateurs de pêche, toujours les mêmes, qu'il connaissait de longue date, il les redoutait pas, ce fut notre chance qu'il fut pas sur ses gardes, on pénétra précautionneusement dans la dépense, en tâtonnant on découvrit qu'il y avait bien de la mangeaille là-dedans, des pains de ménage tout plein les tablettes, c'est les meilleurs comme jamais boulangers surent en faire, on en apporta plusieurs avec des pots de confiture, des briques de lard salé puisées dans la saumure des saloirs, des affaires ventrues à mettre dedans des cochons entiers, verrats castrés, truies à progéniture et porcelets deux sexes toutes grosseurs !... grâce à ces provisions apportées à la cabane on aurait pu y demeurer plusieurs jours n'eut été l'arrivée inattendue et impromptue, le lendemain matin, par un petit sentier qu'on avait pas vu en arrière, d'un homme qu'on connaissait pas, ce fut comme une apparition lorsqu'il sortit au clair, venant de la pinède sombre qu'on avait remarquée parce qu'elle conservait en elle toute le jour un morceau de nuit... l'homme c'était pas le propriétaire Félisse, comme on aurait pu s'y attendre, mais il s'en arrogeait tous les droits, il était grand, son visage était comme taillé dans du granit, comme sculpté dans cette matière dont furent faits les patriarches bibliques, il y a des saints mâles aux niches des églises ou aux devantures qui sont comme ça, ses manches étaient en haillons d'où sortaient des poignets noueux, ses mains étaient énormes, d'un tout petit effort elles auraient pu nous tordre le cou, deux de nous à la fois !... il nous apprit en toute mansuétude que si jusqu'ici il avait pas tué personne c'était parce qu'il en avait pas éprouvé le besoin... j'ai rien contre les meurtres justifiés, encore faut-il qu'ils le soient... il nous assura pas avoir l'intention de tuer personne de notre groupe, mais en toute prudence de notre part il nous refila comme un conseil d'ami de déguerpir sans lésiner, pas perdre un moment au cas qu'il changerait d'avis, que la tentation toute puissante le prendrait de tâter des cous... il nous prévenait qu'il était de caractère versatile, il y a pas que les femmes qui souvent varient n'importe qui le fait on sait pas quand, dès lors bien fol est qui se fie à lui-même et aux autres... on s'en alla sans plus se faire prier, lui laissant toutes les provisions volées, et, penauds, la plupart retournèrent chez eux, je sais pas comment sévèrement on les punit, peut-être même qu'on leur pardonna tout, Camil, Donat et moi on s'en alla chez une parente à eux encore pas mal jeune, demeurant seule dans sa propre petite maison à la sortie du village sur un chemin menant au Bout-du-monde où se trouvait alors une scierie en pleine activité appartenant à un dénommé Baribeau, la maison de la jeune tante était pas neuve, pas même bien entretenue, ni dehors ni dedans, il y avait des agglomérats de poussière dans tous les coins, le parquet était fait de planches gondolées, des miettes répandues dessus et sous la table et autour, les murs avaient des lézardes dans le crépi, la tante gagnait ce qu'elle pouvait en faisant des ménages chez le notaire Bellemare, chez le docteur Bailly, chez le marchand Lysight et partout où elle trouvait à s'employer, au presbytère on voulait plus l'employer vous allez savoir pourquoi bientôt, autant vous dire tout de suite que le chanoine voulait plus qu'elle y mette les pieds à cause du jeune vicaire... il les avait surpris un jour en grande conversation, puis leurs yeux !... il leur trouvait les yeux trop vifs au vicaire et à la fille quand ils étaient ensemble, elle était jolie, son visage était peut-être un peu trop maigre au goût du vicaire grassouillet et bon vivant, d'aucuns diraient qu'elle était trop noire aussi, moi, c'est la montagne de cheveux qui attira tout de suite mon attention en arrivant chez elle, tout frisés, ils donnaient à ses yeux une importance telle que j'étais pas capable de les regarder... le jeune vicaire avait de l'audace, il en était capable, le chanoine voulait plus qu'il les regarde une seule fois, il aimait les femmes à peu près comme Saint Paul qui se qualifiait lui-même d'avorton, aux autres caprices de son vicaire il se plierait volontiers, mais pas l'impudicité !... alors le vicaire se remit à bien vivre en solitaire, refoulant ses sentiments mais mangeant bien, sala-

des aux fruits, les meilleurs jambons le chanoine aurait pas
hésité à lui fournir, dindes et poulardes tendres, toujours le
vrai festin!... il acceptait tout, se méfiant en rien... au Came-
roun il savait donc pas que c'est leur mystique de bien saouler
ceux qu'ils vont mettre à bouillir! tout le temps plein de mimi-
ques et sourires variés tout autour... moi si j'étais pas capable
de lui regarder les yeux j'étais capable d'examiner le reste du
corps de la jeune femme, il y avait de la volupté dans sa tour-
nure et dans ses mouvements, j'avais pas alors les mots pour
dire ça, sur le moment on était bien jeunes pour juger, plus
tard on saurait bien mieux apprécier!... les beaux morceaux
on les montrerait du doigt, on irait jusqu'à les toucher!... on
remarquait sans plus que les yeux de la jeune femme, derrière
un léger brouillard, brûlaient d'une passion indolente nettement
attachante, ça on le sentait et ça nous causait quelque chose en
dedans, pas un vrai malaise, peut-être que c'en était un qu'on
pouvait pas s'expliquer... peut-être qu'elle aurait pu, les femmes savent l'ascendant qu'elles ont sur les hommes, je lui de-
manderais pas, j'aurais pas osé lui demander de prêter l'oreille
aux propos prêts à jaillir de moi, elle m'aurait pas laissé parler,
d'un petit geste sec de la main elle m'aurait arrêté, mon âge
c'est d'écouter et de m'instruire en observant, plus tard on laisse
entendre aux jeunes qu'il leur sera permis de discourir, de manger de tout et de boire en même temps à trois verres, faut pas
tout croire! dès que vous vieillissez un peu il y a plus rien de
vrai là-dedans, j'ai vu des vieux la bouche baveuse qui se tré-
moussaient pour parler, ils demandaient la parole, ils insis-
taient... qu'ils se taisent donc les vieux qui sont comme des
vieilles satanées jacasses!... j'ai vu ça, j'ai observé... le premier soir qu'on fut là on sut pas d'abord comment interpréter la
conduite de la jeune tante, on observa bien attentivement tous
ses agissements, elle se tenait à la barrière du chemin, et si un
homme venait à passer sa voix roucoulait langoureusement, sa
hanche ondulait agréablement en se pressant contre la barrière,
se gonflait, s'écrasait à nouveau contre le bois, on savait pas à
quel jeu elle voulait jouer, on le sait bien aujourd'hui, c'est pas
tous les hommes qui savent deviner les intentions d'une femme,
c'est pas tous les hommes passant par là qui voulaient jouer à

son jeu, ils s'arrêtaient pas tous, les uns passaient sans lui prêter la moindre attention, plus que ça ils détournaient la tête, ils écoutaient pas son appel, il y en avait un qui s'arrêtait juste le temps de lui caresser le menton, les joues, la poitrine, c'est celui qui avait voulu en faire sa femme, on savait pas s'il voulait encore, un tas de monde s'était mis à lui prodiguer des conseils, les uns encourageants, les plus nombreux tout à fait le contraire, tous convaincus qu'ils devaient le faire en toute âme et conscience, tous convaincus que celui à qui on devrait pas demander son avis lorsqu'il s'agit de choisir une femme c'est le futur mari, abandonné à lui-même le type épouse toujours celle qui lui convient pas, c'est à peu près ce qu'on lui disait... il l'épousa pas, il se contentait de lui faire des petites caresses comme ça en passant, il s'en allait sans demander plus, il en vint un à la brunante l'air décidé, un individu qu'on connaissait pas, c'était peut-être le contremaître de la drave, elle nous fit signe d'avoir à disparaître au grenier, on le fit à l'instant, c'était pas long de grimper là par l'échelle, le plafond était bas, à peine la hauteur d'être debout, les longs hommes forcément pires que fiers Sicambres de Germanie devaient courber la tête, la femme était pas si longue... puis elle était souvent couchée... les marins qui n'en sont pas des bons sont souvent couchés du mal de mer, oh là là, n'avons-nous pas ensemble sur la mer immortelle du monde donné péniblement un sens à nos vies pécheresses?... quelles vies seraient nos vies si elles étaient pas pécheresses?... on s'est vanté d'avoir au moins trois vaisseaux sur la mer jolie, oh là là, écoutez la brume qui répond, dis, plutôt, que tu les avais... ordre donc sur tous les flots du monde que tous les bateaux allument leurs feux, tous leurs feux!... chez nous et partout, vous voyez pas la nuit qui s'installe avec ses abîmes d'ombres?... on sait pas si elle aura des étoiles... il y a les bateaux glissant belle allure sur la mer du monde, il y a ceux qui sombrent au fond de la mer profonde, des milliers, des milliers et des milliers avec leurs rêves... la trace d'un navire sur la mer?... c'est peu à côté de la troupe des pensées venant voler autour d'un navire qui s'élance hors d'un port et, déjà, s'efforce d'en gagner un autre, d'un homme qui délaisse un but atteint pour tenter d'en atteindre un autre... j'appris bien des trucs là, ce soir-là et les autres soirs, cette acquisition intensive des connaissances ferait qu'on resterait pas longtemps des bricoleurs en la dite matière, des savants déjà !... vous croirez pas, à tel point qu'à deux mois de là je tombai amoureux de Marie-Anne, la grande soeur à Camil, la fille du voisin Ovide, j'étais pourtant bien jeune, adolescent, j'en avais quand même follement envie, elle aurait bien ri si elle avait su, elle, fille faite, qu'on y réfléchisse !... une grande fille sur le point de se marier, moi un p'tit gars... je lui avouai jamais la chose, toutes les filles que je désirai comme ça si je le leur avais avoué j'en aurais encore pour des ans dans les aveux !... Marie-Anne elle mourra sans savoir que je l'aimai et me branlai pour elle, et les autres filles avec... dommage... quand je voyais son cavalier Ti-Noir à Paquette s'approcher d'elle j'avais chaud aux mains, je l'enviais, je le haïssais en même temps, pourquoi qu'il avait seul accès auprès de la grande fille aimable on pouvait pas plus et liane ?... j'en frémissais quand je la voyais se laisser embrasser les yeux mi-clos, il la serrait contre son corps en lui murmurant des mots de litanies... il y avait pas de doute qu'il était plus expert que j'aurais pu l'être malgré toutes les choses apprises récemment... savant déjà, pas encore assez et pas une miette de la précieuse expérience requise, on continuerait à en apprendre car rares étaient les nuits où la jeune tante connaissait pas une aventure intéressante, ça lui prenait ça, une paix monotone de jour et de nuit comme certaines femmes en veulent elle serait morte d'ennui !... morte de fatigue certains matins elle se levait pas, on descendait manger, on s'arrangeait seuls, on restait longtemps à table, les coudes sur le bord à regarder autour de nous ou dans le vague, les calendriers pendus au mur on les connaissait, la représentation de tableaux impossibles, une vache seule dans une mare, l'air découragée, un cerf dans une rivière qui voit pas le chasseur qui s'apprête à l'abattre, le chasseur dira pas qu'il a tué un cerf, c'est un chevreu !... un autre montrait un chien dans un marais, on sait bien pourtant qu'ils passent pas tout leur temps là-dedans... on faisait pas de bruit pour pas l'éveiller, d'après ce qu'on avait vu elle méritait un long repos, c'est par la trappe entrouverte qu'on surveillait tout, elle le savait, elle tolérait pourvu qu'on parle pas, Camil elle le redoutait, un jour, comme il passait derrière elle, elle se retourna et l'attrapa par le col de sa chemisette et le tira vers elle, écoute, toi !... elle lui enjoignit en élevant la voix de rien rapporter au dehors de ce qu'il avait vu la nuit précédente et elle plongea un regard dur dans les yeux ébahis du garçon, et puis, ah !... et puis merde !... penses-en ce que tu voudras... et elle le relâcha, Camil recula, frotta son cou meurtri et aplatit son col froissé, on comprit tous qu'elle voulait qu'on se taise, on voulait bien... on dirait rien, si on disait quelque chose d'elle ça serait que du bien, on fait de même pour ses père et mère quand on a de la piété filiale, Louis Racine fils de Jean avait pour son père de la piété filiale, il n'en écrivit que du bien et se fit ainsi une réputation d'imbécile !... si on disait qu'elle n'a pas rencontré encore l'homme capable de la contenter, de la satisfaire pleinement, ça serait pas du mal... dans le village des péteuses il y en a de qui on pourrait dire autrement de mal ! celle-là qu'est tellement coquette est sûrement frigide et dans cette complexion le meilleur amant à lui souhaiter serait un homosexuel, si on dit qu'elle en a un qu'est tout ça on croirait dire du mal... ceux qui venaient chez la tante c'était des virils, il y en avait qui s'attardaient d'abord à la cuisine, ils buvaient un verre puis un autre verre, des fois plus, une fois dans la chambre ils buvaient à même le goulot, enfin l'homme donnait l'assaut à la vertu de la jeune tante qui n'en avait cure, il faisait ça avec galanterie et énergie, tant et si bien qu'on applaudissait... il en venait qui se soûlaient avant d'avoir rien fait, la boisson les avait assommés, aujourd'hui ça m'arrive de m'assommer volontairement à boire, si je faisais pas ça je ferais quelque chose de pire encore... en même temps la boisson me rend extrêmement lucide et nul... dans cet état, c'est la question du sperme qui me hante, vous voyez ça !... « selon le rapport annuel du ministère de l'Agriculture du Québec, du sperme a été vendu par le Centre d'insémination artificielle de Saint-Hyacinthe aussi loin qu'aux Etats-Unis, en Uruguay, en Suisse, en Italie, au Portugal, en République Dominicaine, au Danemark, en Hollande, au Kenya et en Espagne... » c'est écrit dans « La Terre de chez-nous », organe de l'UPA, puissants les organes reproducteurs chez nous!... on sème à tous les vents, les boeufs veulent faire de même... ta ta ta, tous les efforts les boeufs!... vous verrez qu'ils finiront quand même à l'abattoir, les vaches de même, celles qui veulent plus donner de lait les premières... un producteur de lait peut pas se permettre de garder une vache qui donne plus de lait, ce qui est le cas des vaches devenues stériles, quand une telle situation se présente cela se termine invariablement à l'abattoir, pour la vache bien entendu... veaux, vaches, cochons c'est pas le sujet, change!... si je changeais de sujet tu saurais jamais le secret de Chung Po, le secret du porc qui donne du gaz, écoutez encore un instant, le porc que vous engraissez avec tendresse pourrait vous rapporter autre chose que son jambon ou son odeur, le fumier du porc peut devenir une source intéressante de méthane, un gaz incolore, inodore et inflammable, formant un mélange explosif avec l'air... des gens, dès qu'ils ont pris un verre c'est l'explosion, chez la tante vint un individu qui se soûla à un point tel qu'il pouvait plus bouger, on dut le traîner dehors par les pieds jusque sur le trottoir où on l'abandonna, quand il se vit seul il tenta de se lever, il se laissa retomber... plus tard je comprendrais que si notre situation est si déplorable c'est dû au fait que trop des nôtres, politiciens et clercs et collabos, estiment que la position debout signifie plus rien... les actions robustes des mâles ça vaut plus ce que ça valait, il y en a qui vous diront sans broncher un brin que deux lesbiennes qui se font des minouchages ça vaut tout autant... le gars qui pouvait plus se lever, on le vit qui se mit à creuser la terre, il creusait à côté du trottoir des trous avec ses mains qu'il ensanglantait ce faisant, qui a pas songé à creuser des trous?... un jour moi, dans une sorte d'état second, alors que j'étais au bord de la mer, je pris une cuiller et creusai des dizaines et des dizaines de trous dans le sable, quand je m'arrêtai de creuser, je m'écriai triomphant qu'il y en avait bien assez pour l'océan qui pourrait y vider dedans toute son eau!... le gars cessa de creuser la terre et fit entendre dans la nuit un cri énorme à côté duquel même le cri de l'océan aurait paru insignifiant!... le lendemain on le trouva mort, on fut stupéfaits et stupéfiés, les p'tits gars, on pouvait pas regarder ce grand corps étendu dans une in-

109

croyable indécence... vivant on s'était pas occupé de savoir qui il était, mort, fallait absolument... on apprit qu'on avait devant nous un Acadien échoué parmi nous depuis quelque temps, ils en ont connu des errances ceux-là!... on dit les Acadiens d'une race résistante, presque assez « pour se métisser avec les pingouins de l'Antarctique... » Jacques Ferron l'a dit, celui-là pourrait plus même avec nos femmes faciles, mort, bien moins encore avec celles vouées à la monogamie toute sacramentée travers et long... à cause de ça et d'autres choses du genre ou différentes, on a dit que nous étions des grands sots, des niais, des niais prédestinés, les Acadiens qui viennent mourir comme ça parmi nous, et les autres avec, sont pas mieux, pires!... sous tous les rapports on en apprenait, la fornication et la mort, on avait pas encore assisté à la naissance d'un enfant... moi, j'avais vu des vaches vêler en masse!... mes compagnons devaient aussi... c'est la chose la plus simple, ça sort!... des fois mon père aidait un peu en tirant sur les pattes du veau, la vache lui en était reconnaissante, si on savait s'aider entre nous comme on aide les vaches au moment de la parturition le monde s'en porterait beaucoup mieux... on en apprenait, faudrait en apprendre davantage... le Laflèche serait pas d'avis, c'est les enseignements de la sainte Église qui comptent, seuls, il en était convaincu, j'étais convaincu de rien, Camil et Donat c'étaient pas des gars à apprendre, ils aimaient autant pas savoir, aucune sorte d'école ne leur plut jamais... insister pour les instruire davantage eut servi à rien, je les connaissais, moi j'ai appris qu'il y a dans la vie des passes pas faciles, les dangereuses, et grosse mer, si vous êtes dessus et vent debout, y avez-vous pensé?... celui d'entre nous qui en savait pas long sur rien c'était le temps d'en apprendre!... j'appris, j'étais assez doué mais pas comme certains êtres qui sont exceptionnels, forts en littérature, forts en musique et en peinture, doués sur tous les bords!... au lit?... qu'on en parle!... que journaux et revues fassent écho, annales toutes catégories de même, qu'ils viennent que je les engueule ceux qui écrivent des riens et laissent passer le plus beau sans même mentionner!... j'ai pas raison de les engueuler?... il est toujours fragile et vulnérable celui qu'a raison!... on se ligue pour les embêtements, on les menace, voyez déjà les bouches, gueules et tronches à massacre, là devant, formant barrage compact!... qu'on les coupe!... on me couperait sans hésiter les testicules, après on ferait adopter lois sévères et règlements ordonnant la destruction de toute bête impropre à la reproduction, tout trouvé le motif de m'exécuter! si on le fait pas je reste tout de même désigné, c'est toute ma vie que je le serai, que j'apprenne jeune!... j'aurais pas pensé que de telles choses puissent arriver sous mes yeux, j'avais vu des animaux s'accoupler, toujours de la même manière, ici toutes les manières imaginables!... les animaux auraient pas pu, faut être mieux ou pire qu'animal pour pouvoir... aujourd'hui je pense que ces choses ont pas tellement d'importance, aucune des choses qui arrivent en a tellement, ce qui compte c'est que de chacune des choses qui arrivent on puisse en tirer une leçon, mais la bonne!... nous on tira la nôtre, on se disait que puisque les adultes s'en payent tant pourquoi nous on se permettrait rien?... les adultes dans tous les lits du monde s'en payent tant et tant, dans la petite maison comme ailleurs, ça se savait au presbytère ce qui se passait... le chanoine faisait la moue, le jeune vicaire pouvait pas s'empêcher de penser à la jeune femme, à son bureau il passait de longs moments à sucer son pouce et son crayon alternativement, les yeux ailleurs, le curé, ce que voyant, était plein de soupçons, quelles sortes de pensées il entretenait?... il aurait voulu savoir, ce jeune-là versait peut-être dans l'excès des rêves irréalisables et insensés, rêver d'une femme quand on s'est voué au célibat ecclésiastique c'est insensé!... un jour le vicaire fit une scène et dit des choses insensées, moi je sais, il s'était mis à crier, emporté par son délire, de ses poings il frappait la table et ses cuisses alternativement, ça pouvait pas continuer, qu'il s'arrête!... il trépignait, il allait piquer un coup de sang... le chanoine se mettrait en colère, rouge à éclater, à crier qu'il fallait que ça cesse, rien y ferait... lui ou un autre, quand le désordre commence, rien à faire, c'est l'abomination partout!... les chiens on peut pas les arrêter d'aboyer qui empêchent les personnes de dormir, qui arrêtera les chats de miauler?... les perroquets vous pouvez les arrêter de jacasser?... tenez-vous sur vos gardes, c'est jusqu'aux autos qui ont des envies de monter sur les trottoirs, si vous êtes là tant mieux pour elles, tant pis pour vous ! elles c'est vous écrabouiller qu'elles veulent !... le désordre quand ça commence c'est le beau bal à voir !... c'est sans bon sens, c'est le sacré boucan commencé, c'est toutes les odeurs perverses qui se répandent !... qu'on arrête ça, qu'il s'arrête, le vicaire !... les dégâts étaient pas encore irréparables dans la tête du gars qui s'émoustillait, secoué par les passions de la chair, aurait pas fallu attendre le déchaînement bride perdue ou plus d'oeillères chaque bord en toute... toutes les passions lâchées comme chevaux sauvages, toutes hordes butées et hurlantes !... ceux qui en ont subi les assauts pourraient donner des détails, les grandes passions sont les premières à disparaître, ce qu'est excessif est appelé à disparaître... les arbres de même, les trop géants pour les temps actuels, bientôt il y en aura plus, des séquoias cherchez !... jamais plus on fera la dinette dessous... le vicaire, on tenterait de réparer les dégâts, un ressort brisé ça se répare, des lunettes perdues ça se remplace, il avait brisé les siennes et les avaient perdues en même temps en les lançant à l'autre bout de la pièce, manquant de justesse la tête blanche du chanoine, il continuait de gesticuler le kimono déchiré, on aurait pu le rapiécer, il voulait pas le remettre à personne, il s'en était revêtu pour mieux donner du poids au simulacre du grand-prêtre déchirant ses vêtements... déchirer ses vêtements est une infraction à la règle de la plus élémentaire décence, la jeune génération clame que la joie de la jouissance peut se trouver que dans l'infraction... sachez-le !... si nous avions su !... quelques jours après la grande crise, une de ses crises survenue pendant le repas, le jeune abbé avoua qu'il était tourmenté au-delà du possible, son aveu lâché il posa fixement son regard au fond de sa tasse comme un coupable, sans indulgence le vieux curé lui dit qu'il l'était en effet, doublement coupable, triplement, et plus encore !... à partir de ce jour des scènes se produisirent au presbytère, pires que conjugales !... c'est terrible les injustices conjugales, toutes les injustices le sont, la femme accuse, l'homme s'avoue coupable même s'il l'est pas, autrement ça serait plus terrible encore ! c'était devenu ainsi au presbytère... un homme qui s'entend avec tout le monde et les femmes, excepté la sienne, est un homme mal marié, le jeune prêtre et le vieux curé formaient une paire mal assortie, c'est comme ça à la ferme quand on attelle un poulain à côté d'un vieux cheval qui a peine à traîner ses sabots... la queue est jamais d'équerre !... le jeune cheval s'impatiente et piétine, il rue et finit par casser son harnais, le voilà parti à la belle épouvante, le mors aux dents et la bride toutes oeillères perdues, plus de gardezieux le voilà qu'a peur de tout !... le vicaire c'était un peu ça, il perdait un peu la tête, il avouait à n'en plus finir toutes les choses qu'il avait jamais faites, il regrettait peut-être de pas les avoir faites !... toutes des choses qu'il ferait jamais, toutes abracadabrantes, au point que le vieux prêtre finit par se persuader que son poulain avait dû tomber sur la tête en bas du lit ou de l'escalier, peut-être de plus haut, peut-être d'en bas du ciel, le jeune prêtre avait sûrement aperçu l'homme et la femme jouant joyeux au bord du ciel à ces petits jeux qualifiés d'érotiques qui se jouent sans costumes, qui se jouent si bien à deux ! il était allé se rendre compte au bord du ciel, il avait dû trébucher au retour... rempli d'indignation le chanoine s'écria que c'était stupidité de sa part d'être allé là, quelle malignité de la part de celui qui avait fait partir et courir la rumeur, pire qu'une histoire de revenant qu'est peut-être vraie... parce qu'on en revient pas toujours... même des maladies imaginaires on guérit pas toujours, une fois Molière jouait le Malade imaginaire et il se mourait vraiment... ils se meurent de désirs, certains vicaires, plusieurs en conséquence ont décidé de se marier sans attendre la permission de vieux papa pape là-bas, il est trop lent le vieux, vraiment trop lent, je sens que je suis plus lent qu'avant... il a pas dit oui encore, ils vont se marier quand même pareil, c'est peut-être des cas rares, j'ai pas les statistiques, je les ai jamais eues faciles, le cas suivant le fut pas, je veux parler de celui-là qui fréquenta clandestinement une personne mariée plus vieille que lui qui lui tint lieu de mère et de femme, plus tard il en épousa ouvertement la fille, on disait qu'il avait épousé sa propre fille sans le savoir, ou le sachant... il aurait pas avoué, le jeune vicaire avouait les choses les plus invraisemblables pas croyables, c'est pas les tueurs qu'avoueraient de même des choses, les scélérats pas plus, eux tous pires que gibiers se déclarent innocents jusqu'au bout de la corde qui va les pendre... on les pend plus !... au sujet des vicaires, curés, chanoines, monseigneurs, tantes aux petites maisons fréquentées, veaux, vaches, cochons aux pâturages, aux étables et aux porcheries, des gens diront que je raconte des mensonges, si ça leur plaît... toutes des choses qui seraient pas arrivées... à ces gens je dis que quelque chose qu'est pas arrivé est pas forcément un mensonge, ça pourrait arriver !... d'accord, mais de là à étaler tout ce qu'est pas arrivé au grand vent public, les bancs publics c'est pas assez ?... nous, les p'tits gars, on était plus discrets alors, c'est pas qu'on avait pas appris des choses !... par la suite dans des endroits secrets des granges de chez nous ou dans celles des voisins où restaient foins et pailles de l'an d'avant, dans les greniers aux amas de guenilles dans tous les coins, dans les hangars aux coins et recoins insoupçonnés, on se réunissait par petits groupes et on se mettait nus en présence les uns des autres au début ça nous répugnait un peu, je sais pas pourquoi on se contraignait à agir ainsi, après on aimait voir les beaux petits corps bien faits des copains, on avait jamais de petites filles avec nous, on aurait bien voulu en avoir au moins une, histoire de comparer, on touchait à la verge des copains, certains exigeaient qu'on la tienne longtemps dans la main en faisant des petits mouvements de va et vient, on finissait par avoir la main toute poisseuse, en plus on prit l'habitude de se masturber sans l'aide de personne, la main c'est incroyable les services qu'elle peut rendre quand personne est là, quand il y a pas personne et pas de femme, on se débrouille comme on peut, la main, la main !... « il y a plusieurs membres et cependant un seul corps, l'oeil ne peut donc pas dire à la main : j'ai pas besoin de toi » dit Paul aux Corinthiens... on savait bien qu'en grandissant il faudrait en venir aux femmes ou à des garçons complaisants comme des femmes en la matière... la pratique solitaire donne pas toutes les satisfactions, et puis la vertu exige qu'on partage tout, et les plaisirs avec !... les choses qu'on avait apprises et celles qu'on faisait j'en aurais jamais parlé chez nous, on était encore au temps où on taisait tout de ces choses dites sales, un jour ça changerait pour le meilleur ou pour le pire, le meilleur et le

114

pire ça vaque dans les mêmes parages, c'est comme bras et jambes entremêlés dans les lits ou les tasseries de foin, c'est comme des culs promiscuitants, un jour vient où ça sera que le meilleur !... on croit pas que ça viendra ni un jour ni un autre, un jour vint à la maison de la jeune tante un riche Américain, tôt dans la journée, ça paraissait qu'il était en possession des moyens financiers, les autres moyens on verrait... il avait passé l'été depuis des années en haut de Saint-Alexis-des-Monts, c'est ce qu'il faisait cette année-là encore, au Club Saint-Bernard, chasse et pêche, le lac des Iles inclus, de même que celui du Sorcier, le lac Sans Bout, là rivières et ruisseaux sillonnent un territoire bien giboyeux, ils parcouraient, les Américains du club, tout le territoire par les sentiers entretenus exprès pour eux, avec des guides qui portaient les canots et les bagages d'un lac à l'autre, au lac Patrie il y avait tellement de truites dans les frayes qu'on pouvait les capturer à l'aide de collets faits de fil de laiton, les Américains en prenaient en dehors du temps permis, les salauds, l'Américain qui vint chez la jeune tante était sûrement un salaud comme les autres, à en juger par les yeux qui étaient siens, les yeux seraient le miroir de l'âme, pour certains c'est bien poétique comme expression, moi je partage pas tant l'idée, quand on a pas d'âme que deviennent les yeux ?... l'Américain avait des yeux comme une pieuvre... pourquoi les yeux deviennent-ils froids quand on est riche ?... quand on sait que la beauté du monde repose sur un socle de laideur... si on enlevait le socle la beauté sombrerait, ça se fait infailliblement quand on vieillit, il était plus jeune l'Américain, il voulait pas quand même renoncer aux femmes, ils sont tous comme ça, les Américains, ils s'en viennent tous vieux... des vieux comme ça, américains ou pas, peuvent être quand même atteints de priapisme, priapism, licentiousness, persistent erection of penis, on disait l'Américain atteint de ça, les vieux comme ça on doit les empêcher de faire la chasse aux petites filles ! d'autres vieux peuvent plus, finies les érections superbes !... à cause qu'ils peuvent plus ils disent qu'ils ont plus qu'à se pendre, il y en a qui se pendent vraiment, c'est bien leur affaire, ça sera la dernière folie, finies, après, toutes les folies !... d'accord, d'accord, trois fois d'accord, quand même celui qui mourra pendu mourra pas noyé! ici c'est la noyade qu'on préfère, de préférence dans la rivière du Loup en partant du pont de la chute à Magnan entre Charette et Saint-Paulin... ceux qui se pendent pas ni se noient battent la campagne des deux côtés de la rivière drôlement!... ils se rendent jusqu'au rang Petit Bellechasse et plus loin, ils s'y soûlent s'ils y trouvent l'ample provision de boisson dont ils ont besoin... pendant que l'Américain était dans la maison avec la jeune femme, des jeunes gens vinrent de tous les coins du village sur le trottoir en face crier des choses qu'étaient pas aimables, vous avez jamais entendu pires saloperies, on voyait bien qu'ils étaient en colère, ils s'avancèrent même jusqu'à la barrière menaçant de la briser en faisant des gestes obscènes, ils finirent par se disperser après avoir discuté le pour et le contre, à savoir s'ils allaient ou pas incendier la luxueuse voiture de l'Américain, ils le firent pas craignant les conséquences fâcheuses, dommage!... après ses heures de plaisir le vieil Américain s'en alla manger au restaurant du coin, à sa manière de manger les hamburgers ceux qui le servirent jugèrent qu'ils avaient à faire avec un homme riche... et plein de caprices, il les ouvrait comme des huîtres et mangeait que la viande, laissant pour les chiens les brioches, on les aurait mangées, nous, on fut jamais gâtés du côté nourriture, on en avait suffisamment mais jamais rien de bien raffiné, des bouts de notre vie on sera pire que chiens affamés, des brioches on en aurait mangé largement pour se sustenter, c'est rien que de la galette à la farine de sarrazin qu'on avait, et pas trop, la croix qui fut nôtre, la croix des croix, pire que celle de Gaspé et des îles, fut la pauvreté!... on connut que ça, abjecte parfois... il serait ardu de m'ôter de la tête cette conviction bien ancrée qu'il y a pas moyen de s'enrichir honnêtement, en apparence du moins, il y aurait que les malhonnêtes qui auraient réussi... c'est donc dire que le plus grand nombre des gens sont honnêtes, c'est le plus grand nombre qu'est pauvre... tout le monde alors ou presque était pauvre, les habitants, les premiers tiraient le yable par la queue, y devait-y être tanné çui-là de se la faire tirer ainsi!... on prêchait que la pauvreté était un mal acceptable à côté de celui inacceptable des choses de la chair, la viande était pourtant pas cher alors !... on était alors au temps pas si lointain où, pour faire son salut, on s'occupait peu du prochain, l'avarice ça comptait pas, la dureté du coeur pas plus, l'égoïsme scandalisait guère le monde, le mal absolu c'était le sexe !... seuls alors les riches Américains pouvaient se permettre de venir faire le mal au grand jour, nous, les pauvres on se consolait en pensant qu'ils auraient les peines éternelles, on a même plus cette consolation parce que les peines éternelles telles qu'on nous les enseignait on trouve que ç'a pas de bons sens... l'éternité malheureuse qu'on leur souhaitait à tous ça existe pas !... en guise de consolation on s'est mis à apprendre à goûter davantage la saveur de l'instant, quand on pouvait et celle de l'éternité incluse dans le temps qui passe, elle est que là... si on pouvait... on pourrait se libérer des vieilles attaches, elles sont trop solides, je vous le dis... on a pas appris jeune comment faire, les jeunes ont appris bien plus tôt, il y en a qui ont appris à chercher Dieu dans les grandes célébrations du rock ou dans l'état second de la drogue, nous on prenait Dieu où on pouvait, des fois il était nulle part !... c'était ça l'embêtant !... des pieuses gens pensent qu'on le trouvera dans le cosmos, c'est grand le cosmos, où le trouver dedans ?... chose certaine il va falloir mourir avant, c'est pas quand on sera morts tous qu'on en aura le plus besoin, rongés par les vers on sera plus montrables ni à Dieu ni aux hommes ! des pieuses gens devenues des morts, que reste-t-il ?... je mourrai bien comme les autres, toutes ces morts !... morts inutiles et bêtes hideuses qui dévorent l'intérieur jusqu'à ce que mort s'en suive !... rien qu'y penser ça donne aux gens des yeux affolés, petites gens de rien ou chanoines ou monseigneurs de tous les noms... le chanoine mourut aussi, Lazare le pauvre mourut et le mauvais riche aussi, tout le monde y passe ! on m'a raconté la mort du chanoine, celle d'un chanoine quelque part, qui mourut tôt le matin, sur sa table de chevet son réveil s'était mis à sonner, il allongea le bras dans le but d'en arrêter la sonnerie, il réussit qu'à le repousser plus loin, la chose visqueuse lui échappait toujours, le cadran alla se loger hors de sa portée où il continua de carillonner, c'était une sonnerie bien trop joyeuse pour un glas !... il continua de carillonner jusqu'à son épuisement qui coïncida avec celui de l'homme, son vicaire le trouva des heures après par terre, il avait glissé du lit, là il avait une de ces têtes de mort depuis longtemps !... grand émoi aux villages et paroisses des milles à la ronde !... mourant, un homme peut être adoré, haï, pleuré, regretté, il avait été tout ça, une fois mort il devient le principal ornement d'une manifestation sociale compliquée et conventionnelle, on a appris au monde à être conventionnel partout aux villages avant d'être vrai en mon pays... il y avait un vieux au village qui avait connu le chanoine et le vénérait, d'autres vieux de même, des pauvres, ils voulurent, avec des vêtements défiant toute description, pantalons aux genoux écla-tés, accrocs aux chemises, s'approcher du cercueil, on les re-poussa, ils n'assistèrent pas aux obsèques, ça se faisait pas en haillons les choses, dans la sainte bâtisse église !... là tous ornements grand luxe !... nous, les p'tits gars, on assista pas aux obsèques mais c'est quand même vers ce temps qu'il nous fallut revenir chez nous, Camil et Donat la chose fut vite faite, Adrien était venu leur dire en bégayant, suivi de ses autres frères en procession, que le père leur pardonnait tout, ils avaient qu'à rentrer au bercail, il oublierait tout, indulgences plénières et partielles ! il s'était rappelé comment on lui avait pardonné, jeune, alors qu'on l'avait pris les culottes baissées... moi, personne vint me dire de rentrer, je savais pas ce qui m'attendait, pourtant tout se passa comme dans le meilleur des mondes, c'est une manière de dire, car le meilleur des mondes on peut pas dire où il est... je pouvais pas demander mieux, c'est que, quand je revins à la maison, mon retour passa inaper-çu, mon père était bien trop occupé pour remarquer, toutes les vaches étaient en chasse !... ma mère me reçut aimablement, elle connaissait peut-être un de ces moments de grande condes-cendance comme en connaissent les femmes à certaines pé-riodes, un de ces moments où l'affection chaleureuse est facile, elle fit que me sourire d'un sourire qui me toucha... d'ailleurs elle était bien occupée, elle aussi, elle devait aller aider mon père à tout moment, il fournissait pas de réparer les clôtures que les vaches brisaient pour aller prendre le boeuf chez les voisins mieux pourvus, les Arseneault, les Allard, les Dupuis, les Bourrassa, les Gélinas... notre boeuf en était un petit maigre, il suffisait pas à la tâche ardue de féconder toutes les vaches à la fois, dans quel pétrin il se trouvait fourré dans le grand troupeau !... c'est pas mieux quand ils sont trop gras, les boeufs, ou qu'ils prennent de l'âge, non c'est pas mieux, ils se désintéressent tout à fait des vaches... c'est aux cultivateurs de voir à l'affaire !... on le leur dit dans les journaux et les revues agricoles, ils ont qu'à lire, si les vaches savaient lire, il y a toutes sortes d'annonces les concernant publiées dans les journaux, lisez !... on demande des vaches saillies ou ouvertes... vous savez pas les offres à faire envie ! on en veut partout, des animaux à boeuf avec, des troupeaux laitiers entiers également !... pur sang ou croisés, tous troupeaux avec ou sans quota, quelque soit l'endroit, on paie argent comptant, on insiste sur les vaches saillies par un taureau de bonne lignée, le cultivateur qui garde pas un bon taureau s'expose à voir ses vaches partir à la recherche d'un meilleur pour se faire saillir correctement, pour ça elles hésiteront pas à briser les clôtures pour passer, on dit qu'elles sont en chasse et c'est bien ça... les vaches je voudrais pas dire que ce sont des obsédées sexuelles, mais quand elles sont décidées, elles le sont, prenez ça pour dit, travers ou long... c'est des besoins impérieux qu'elles ont, les superbes et les autres pas moindrement, les évêques excellent dans les superbes textes concernant l'éducation sexuelle, lapalissades et encycliques peu accordées à la réalité, on y argumente au conditionnel et on conclut à l'impératif !... les vaches, elles sont impératives dans leurs chasses aux taureaux, l'instinct sexuel chez les hommes et les animaux a la férocité du tigre, pas moins, les preuves sont là... vaches et petit taureau maigrelet on déménagea vers ce temps à cause de mon père qui se mourait d'ennuyance à Saint-Paulin, il se trouvait trop loin des siens, on avait jamais été tout à fait acceptés par là, on décida de vendre la terre, ça se fit vite et bon prix et on s'en vint à Charette au rang Saint-Joseph dans la maison su'a côte, ma mère devait pendant des années pas cesser de dire à tous et aux autres à quoi on avait tu pensé donc de venir s'établir là en retrait du chemin du roi sur la hauteur ?... pas moyen ni de loin ni de haut de parler aux gens qui passaient en bas, fallait se contenter de les regarder de haut, des hauteurs du Golan les

Syriens pouvaient pas parler aux Juifs qui pêchaient sur la mer de Galilée, ils leur tiraient dessus, on irait pas jusque là, on a jamais fait ça, des fois j'ai eu envie de tirer sur des gars timbrés qui conduisaient sur le chemin d'en bas comme un pied des vieux tacots tout déglingués... on aimait ça nous autres rester en haut de la côte, en arrière le plateau, en avant et sur la droite toute la série des montagnes moutonnantes, je rêvais d'y aller, c'est secrètement que j'en entretenais l'idée, un jour j'en parlai à mon père, pas question de me laisser aller seul dans ces grandes forêts qui vont jusqu'en Abitibi, j'eus beau dire qu'on irait plusieurs ensemble, pas mieux, seuls, les enfants autant qu'il y en aurait on se perdrait, perdus on mourrait de peur et de faim, la peur, toujours la peur, plus âgé les peurs m'ont suivi, c'est les hommes qui m'ont effrayé, pour ce qui est des bois j'y allai sans peur et sans reproche, j'ai passé des mois aux bois, à escalader des montagnes, à traverser des marais, à contourner des lacs, quand on eut une embarcation légère on les sillonnait en tous sens, avec un ou deux compagnons je couchais sous la tente, vivant de gibiers divers tués par nous au fusil ou pris aux pièges tendus clandestinement, et de poissons pêchés au courant des rivières ou dans les lacs profonds, des truites rouges, plus rarement des grosses grises, plus loin, les lacs fournissaient les gros brochets, on restait pas longtemps aux mêmes endroits, ça nous faisait pas peur les portages le long des rapides tumultueux qui bondissaient parmi les roches, la Mattawin c'est ça, ou d'un lac à l'autre, le canot sur les épaules, par des sentiers connus de nous seuls... jeune, en regardant le paysage devant la maison su'a côte, se prolongeant loin en bas, jeune et dangereusement rêveur déjà, j'imaginais tout le paysage changé en une grande rivière en bas de la côte, juste au pied, devant notre maison haut perchée dessus, en réalité il y avait qu'un ruisseau, c'est plus loin encore que coulait la rivière du Loup, quand même j'imaginais ma rivière puissante comme il s'en fait plus, toute puissante, et des plus mystérieuse, d'une largeur jamais vue, un fleuve quoi!... plus qu'un fleuve même!... comme il se devait je voyais un radeau dessus les eaux, un lourd radeau qui glissait dans le courant fort, il filait vite, se cognait souvent aux écueils, aux traîtres remous tour-

billonnants il tournoyait comme il se devait dans les amas
d'écume, puis il s'échappait dans le vif courant, le voyant s'y
engager j'en avais le coeur serré et le souffle coupé, j'avais peur
pour ceux qui étaient emportés dessus vers le noir pays aux
puissances toutes hostiles, ma rivière, contrairement aux autres
de la région qui coulaient vers le fleuve, filait vers la baie
James, peut-être que c'était la John ou la William, ça se vaut
pour nous tous ces noms Anglais qu'il faut bien supporter encore
un peu de temps... l'Angleterre au temps de sa prospérité, au
temps du succès et de la gloire de ses armes imposait des noms
anglais partout dans le monde, il semble que ses armes se sont
tournées vers elle, je crois, elle est au bord de la faillite... on
s'embarrasse pas de tous ces noms anglais on dit la Baie tout
court... ceux qui vont à la Baie ça s'endure à condition de se
maintenir sereins, le peuvent que ceux qui savent sourire aux
épinettes, parler aux nuages, s'émouvoir pour un lichen écra-
sé... c'est toutes des grandes rivières là-bas comme celle ima-
ginée en bas de ma côte, plus même... c'est fleuves qu'il faudrait les nommer toutes n'étant la modestie qui sied au pays
des géants, là les gens s'affairent à construire des ponts sur des
rivières qui disparaîtront... ma rivière j'étais convaincu qu'elle
pouvait que mener aux pays de la peur, toutes prises de la plus
grande peur devant le flot qui s'avançait mugissant, des cen-
taines de bêtes ressemblant à des chats et tous autres animaux
à griffes montaient à la course des bas-fonds et s'égaraient dans
nos champs sur les hauteurs... le radeau allait, il irait finir
dans la grande Baie où il s'abîmerait, comme toute vie finit
dans la peur et s'y abîme dans le dérisoire et l'inhumain, nous
la peur ça nous connaît, on s'en nourrit comme d'une potée de
pâtée à cochons, la bonne bouette bonne bonne qui les fait en-
graisser gras gras, quand ils sont gras on les mange!... moi,
ma peur pire fut quand j'imaginai le flot tout en allé et la
rivière tarie absolument et qu'à la place des grandes eaux
turbulentes je voyais une énorme bête toute salie de boue venant
vers notre maison en haut, ça serait rien pour elle de la bouffer,
une bouchée à peine suffisante!... tout est bien qui finit bien
pour nous tous apeurés rien qu'à lui voir les yeux, la bête perdit
pied en voulant escalader la côte en haut de laquelle se trouvait

notre maison, elle pirouetta toute drôle, elle roula en bas de la pente, comme ivre, elle tenta de se remettre sur pied, elle y réussit qu'à demi, elle trébucha une dernière fois pour se retrouver sur le dos, impuissante à se remettre debout, la voir là ainsi aujourd'hui je dirais que c'est l'image parfaite de notre monde à l'envers... la bête était sur le dos, impuissante, et elle allait mourir, morte elle va pourrir là, vous avez pas pensé à la puanteur ? c'est de la peste qu'on mourra tous !... l'hiver viendra, le froid neutralisera tout... l'hiver c'était bien mieux su'a côte et derrière nos bâtiments de ferme, les bâtiments chauds aux murs étanches qu'on appelle les étables et écuries, les autres bâtiments à planches disjointes c'était les granges où l'on entassait à l'été pour les besoins des bêtes à l'hiver tous les fourrages divers, derrière ces bâtiments divers notre terre immense !... toute blanche, elle avait des airs d'un Golan, un Golan blanc, vous savez les plateaux du Golan ?... c'est rien de blanc, c'est des sables chauds, un Golan blanc, le nôtre !... j'étais pas encore content, je me mis à souhaiter que notre terre immense toute plate devienne une mer de préférence, sur laquelle se cabreraient tous les petits bateaux sur l'eau comme les chevaux pur sang nerveux beaux se cabrent sur terre, j'aurais regardé tout ça, aujourd'hui il me faudrait des femmes dans le paysage, c'est vrai qu'on se dégoûte de tout, on devient tête toute dégoûtée de trop regarder les femmes, les bateaux et les chevaux, j'ai désiré aller dans des endroits avec une femme où l'on pourrait à nous deux nous écouter et garder le silence tout en nous regardant rien regarder... quand même, par temps de tempête ils sont beaux à voir les petits bateaux, j'ai été sur un bateau par temps semblable, à chaque plongée du bateau mon âme menaçait de m'échapper et mon estomac produisait des choses inattendues, mon ventre voulait sincèrement se retourner toute la tripaille sur le pont, je me mettais à genoux pour accomplir la grande action, je m'efforçais de sourire, héroïque et sublime comme jamais, je rappelais mon âme à moi, elle voulait pas revenir j'étais pas ragoûtant pour une âme bien née, la bave me découlant de la bouche, je voudrais vous y voir faire mieux !... mais c'était pas la mer notre étendue de terre en arrière des bâtiments, mais elle était impressionnante la nuit la grande étendue de blancheur avec sa lune ronde dans le ciel au-dessus... je veux pas qu'ils viennent jamais, ni les Syriens ni les Israéliens, sur les hauteurs de notre Golan blanc, on sait jamais qui d'autre pourrait venir, Russes sibériens ou moscovites, gens de Mongolie celle de l'intérieur ou celle de l'extérieur, ou du Turkestan, gens de partout qui seraient tentés de venir jusqu'ici mal intentionnés, c'est toutes des histoires folichonnes, ça... on sait jamais... c'est avec des histoires comme ça qu'on rendit fou un homme qui restait plus haut dans le rang, Jos. Bobsleigh dit le Fouineur, ça l'impressionnait ces histoires d'occupants possibles qui pourraient venir nous passer par les armes dans nos propres maisons, hommes, femmes et enfants... ça pourrait être des réoccupants anglais... un jour, complètement fou et dominé par une peur à nulle autre semblable, il rentra vitement dans la grange, au pas de course c'est peu dire, empruntant la petite porte percée dans le grand battant, passa une corde par-dessus une solive, se mit debout sur un tonneau vide, mit comme il fallait la corde autour de son cou et repoussa le baril d'un violent coup de pied, un voisin survint au bon moment qui coupa la corde, le détacha et le porta à la maison, on alla de toute urgence quérir un docteur, deux heures après il ouvrait des yeux apeurés, deux jours après il parlait, sa première parole étant pour annoncer qu'il allait vendre sa terre avec toutes bâtisses dessus érigées, et cela sans tarder, puis il fuirait avant l'arrivée des envahisseurs qui seraient sûrement des occupants barbares pires qu'Anglais !... on pouvait que sourire de l'entendre, mon père son sourire était intéressé, il projetait d'acheter la terre de l'homme, ma mère s'y opposa véhémentement, on allait pas s'endetter encore !... et puis la terre d'un pendu même manqué pourrait que nous porter malheur, d'ailleurs peu après, l'homme, devenu subitement féroce, voulait plus la vendre, il allait la défendre pouce par pouce devant l'envahisseur quel qu'il soit, il se tourna vers mon père qu'il repoussa violemment, qu'est-ce qu'il avait de vouloir lui enlever sa terre ?... mon père jugea prudent de déguerpir, l'homme lui cria toutes les injures possibles, il en inventait !... rageur il se mit à démolir son mobilier, devenu absolument fou, il le resta jusqu'à sa mort, fallut bien endurer l'homme détraqué, à des places ils sont pires, les fous, que ceux d'ici, en Allemagne ils sont savants, il y en eut un qui menaça de répandre les bacilles de l'anthrax et du botulisme dans les réservoirs d'eau potable, ici ils font pas ça, ils sont marqués par la peur... le nôtre, les sentiments qu'il avait dans le coeur finirent par s'inscrire sur les traits de son visage, même son sourire devint féroce, les enfants le craignaient et se cachaient quand il passait pour lui jeter des regards craintifs, jusques aux chiens grands et petits qui s'éloignaient à son approche, la queue sous le ventre et regardant avec angoisse derrière eux, les hommes paisibles et pacifiques se détournaient de son chemin, l'approchaient que ceux qui avaient pas peur de personne, fou ou pas, ni de Dieu ni du diable, il mourut d'une mort pas belle, toute enragée, pas longtemps après, serrant les poings, se mordant la langue, bavant sanglant... voilà où la peur avait mené cet homme, la peur ça nous connaît!... ils sont rares ceux qu'ont pas peur, moi on m'a appris jeune toutes les peurs, celle de l'enfer en fut une, on m'apprit à la bien nourrir de sorte qu'elle devint puissante au point de me dominer... un jour on avait peur de ceci, le lendemain de cela, un jour arriva à notre maison un faible d'esprit tout apeuré, il avait l'air, après sa course à travers champs, d'un chien après une course, ses genoux pliaient, il finit par tomber à genoux au bas des marches, la langue sortie de la bouche, bavant, criant, pleurant, on voyait qu'il appelait à l'aide, il pouvait pas supporter d'être seul au fond de sa peur et de sa folie, je voyais pas la raison qu'il avait d'avoir si peur et d'être fou, c'est ceux qu'étaient partis sur le radeau qu'avaient toutes les raisons de l'être devenus, puis je pensai que celui-là était peut-être un rescapé du radeau naufragé, peut-être qu'il venait de s'échapper de quelque caverne sous-fluviale, je me mis à pleurer avec lui, de joie de savoir qu'il s'était extirpé de l'incommensurable trou noir, si noir des trous qu'il n'y a pas de trace de blanc dedans nulle part, ça devait être comme ça les régions d'où il venait, faudrait me garder de tomber dans l'un de ces trous noirs, en bas c'est que des montres!... je les imagine tous poilus, ricanant, me faisant des pieds de nez que je verrais pas à cause de la grande noirceur... je pleurai pas longtemps avec, je croyais pas tout ce que mon imagination

me montrait, puis je m'étais fait une règle que je tenus jamais
bien de couper court aux crises de larmes, j'aime pas les gens
qui pleurent aussi longtemps qu'ils ont des larmes, faut s'en
garder en réserve pour plus tard!... vous trouverez plus tard
d'autres raisons de pleurer!... on aura encore des peurs, elles
sont tenaces et des plus coriaces, la fidèle amie de nos jours,
la peur... moultes peurs on a!... on finira par en mourir, ça
serait la dernière dont on voudrait bien se dispenser quand
même... quand on sera mort on aura plus peur, mais il y en
a qui sont pas tout à fait morts, ça fait longtemps quand même
qu'ils se sont évanouis, tout ce qu'il y avait de vivant dans leur
corps a fui dans le vertige, ils sont plus que comme bêtes tra-
quées, abandonnées, aveuglées... on dit qu'ils sentent plus leur
sexe, toute l'énergie transférée dans la tête... faudrait pas
qu'il soit dit que toute queue a pas une tête, faut faire la part
des deux!... j'appris avec Alice à faire la part des choses, une
fille du voisinage d'un oncle qu'en était pas un, on l'appelait
quand même l'oncle Médérique, pas Médérique Martin maire de
Montréal, j'avais été là faire une commission pour mes parents,
ma mère manquait de caustic et d'arcanson pour faire son savon
dans le grand chaudron de sucrerie déjà suspendu en place et
le feu allumé dessous, je courus vite chercher ce qui manquait,
la fille me tomba dans l'oeil, je trouvai moyen de lui dire avant
de m'en aller qu'elle vienne dans les cerisiers derrière la grange
dans l'après-midi, elle vint... c'est à partir de ce jour que
commencèrent nos rencontres clandestines un peu partout, dans
la coulée derrière les cèdres, dans la grange, je disais viens
dans le coin, elle venait... quand les grandes personnes étaient
parties chez nous elle venait dans notre maison, quand les
grandes personnes étaient parties chez elle j'allais dans leur
maison, une fois j'apportai un petit flacon de caribou bien corsé
volé à ma mère dans son armoire à linge, la première gorgée
qu'elle but elle faillit avaler de travers, elle en eut les larmes
aux yeux qu'elle retint, c'est pas du venin, bois, que je disais,
elle admettait que c'était un bon petit boire qui avait failli lui
faire un trou dans l'estomac dès la première gorgée, bois encore jusqu'à devenir molle, tu seras guenille trouée... elle
eut alors des grands yeux ouverts si grands qu'ils avaient l'air

de vouloir quitter leurs orbites, elle me traita de vulgaire, je répondis que j'étais pas plus vulgaire qu'elle, ce qu'on faisait on le faisait à deux, non!... elle me gifla, je la renversai sur le lit de sa chambre, on s'enlaça si serrés qu'on pensait qu'on pourrait jamais se déprendre, en effet ses parents revenus de leurs courses ou des champs nous trouvèrent endormis... la manière que je dus sortir c'est pas disable!... maintenant que j'avais réussi à apprivoiser la fille on nous interdit toute rencontre et on nous surveilla de près, dommage, elle avait été assez longue à apprivoiser, si je racontais tout dans le détail c'est toute une histoire que vous auriez, ce livre c'est toute une histoire, faudra vous en contenter, c'est pas vraiment une belle histoire, disent des gens, la grande fanfaronnade de ma part de dire que c'en est une!... il y a rien que moi qui le dis... ils sont tous là à dire en chœur qu'elle comporte trop de leçons, d'accord, et portez pas d'autres accusations, attachez pas trop d'importance aux enseignements contradictoires y dedans inclus sans charge... et puis exagérez pas, lisez, un point c'est tout, c'est pas une histoire à retenir par cœur, moi-même j'en aurais pas le cœur, en l'écrivant j'avais pourtant bien du cœur à l'ouvrage... pour les uns mon histoire prouve rien, pour d'autres tout!... les gens ont pas tous la même qualité d'âme, certaines âmes pas communes ont une qualité rare faite de contradictions où les déchirements côtoient la joie et le blasphème, le tout, pour certaines, suivi de prière... pas moi, je me repose et je recommence les blasphèmes! à mon sens ça dépasse tout, on se dépasse soi-même... c'est justement parce qu'elle a pas une signification qu'on puisse saisir immédiatement que certains ont aimé mon histoire, c'est des gens pas bouchés! débloqués, évolués ils sont, qu'ils le restent!... ils ont pris tout le temps, que personne s'attende de comprendre avant que le soleil ait doublé le cap du midi et que l'air soit devenu chaud... profitez du beau temps!... ici, des fois, le ciel est si bas qu'il luit sans bruit comme un plafond bas, on pourrait le toucher en montant sur une chaise, essayez!... la seule fois qu'on tenta une risée le vent le fit se rétracter et s'élever à l'infini...

CET OUVRAGE COMPOSÉ EN CORONA CORPS 10 SUR 11
A ÉTÉ ACHEVÉ D'IMPRIMER SUR PAPIER BOUFFANT
SUBSTANCE 120 LE DIX FÉVRIER MIL NEUF CENT SOI-
XANTE-QUINZE A QUATRE MILLE EXEMPLAIRES PAR
LES TRAVAILLEURS DES PRESSES DE L'IMPRIMERIE GA-
GNÉ LIMITÉE A SAINT-JUSTIN POUR LE COMPTE DES
ÉDITIONS DE L'AURORE

collection l'amélanchier